ACCESO GRATIS *a la Lectura en la Nube + Actualizaciones*

Para visualizar el libro electrónico en la nube de lectura envíe junto a su nombre y apellidos una fotografía del código de barras situado en la contraportada del libro y otra del ticket de compra a la dirección:

ebooktirant@tirant.com

En un máximo de 72 horas laborables le enviaremos el código de acceso con sus instrucciones.

AF218704

Protección de datos personales
Infracciones y sanciones penales

- Directiva (UE) 2016/680 del Parlamento Europeo y del Consejo de 27 de abril de 2016
- Ley Orgánica 7/2021, de 26 de mayo, de protección de datos personales tratados para fines de prevención, detección, investigación y enjuiciamiento de infracciones penales y de ejecución de sanciones penales

Incluye Webgrafía, Bibliografía e Índice analítico

Protección de datos personales

Infracciones y sanciones penales

- Directiva (UE) 2016/680 del Parlamento Europeo y del Consejo de 27 de abril de 2016
- Ley Orgánica 7/2021, de 26 de mayo, de protección de datos personales tratados para fines de prevención, detección, investigación y enjuiciamiento de infracciones penales y de ejecución de sanciones penales

Incluye Webgrafía, Bibliografía e Índice analítico

JOSÉ MIGUEL HERNÁNDEZ LÓPEZ
Máster Universitario en Derechos Fundamentales
Experto Universitario en Protección de Datos

tirant lo blanch
Valencia, 2021

En caso de erratas y actualizaciones, la Editorial Tirant lo Blanch publicará la pertinente corrección en la página web www.tirant.com incorporada a la ficha del libro. En www.tirant.com dispondrá de un servicio con los textos legales básicos y sectoriales actualizados como complemento de su libro.

Los textos jurídicos que aparecen se ofrecen con una finalidad informativa o divulgativa. Tirant lo Blanch intentará cuidar por la actualidad, exactitud y veracidad de los mismos, si bien advierte que no son los textos oficiales y declina toda responsabilidad por los daños que puedan causarse debido a las inexactitudes o incorrecciones de los mismos.

Los únicos textos considerados legalmente válidos son los que aparecen en las publicaciones oficiales de los correspondientes organismos autonómicos o nacionales.

©   José Miguel Hernández López

©   TIRANT LO BLANCH
     EDITA: TIRANT LO BLANCH
     C/ Artes Gráficas, 14 - 46010 - Valencia
     TELFS.: 96/361 00 48 - 50
     FAX: 96/369 41 51
     Email: tlb@tirant.com
     www.tirant.com
     Librería virtual: www.tirant.es
     DEPÓSITO LEGAL: V-2445-2021
     ISBN: 978-84-1397-920-5

Si tiene alguna queja o sugerencia, envíenos un mail a: atencioncliente@tirant.com. En caso de no ser atendida su sugerencia, por favor, lea en www.tirant.net/index.php/empresa/politicas-de-empresa nuestro procedimiento de quejas.

Responsabilidad Social Corporativa: http://www.tirant.net/Docs/RSCTirant.pdf

SUMARIO

ABREVIATURAS

AEPD	= Agencia Española de Protección de Datos
Art./s.	= Artículo/s
BOE	= Boletín Oficial del Estado
CEDH	= Convenio Europeo para la Protección de los Derechos Humanos y las Libertades Fundamentales
DPD	= Delegado de Protección de Datos
INCIBE	= Instituto Nacional de Ciberseguridad
LOPDPyGDD	= Ley Orgánica 3/2018, de 5 de diciembre, de Protección de Datos Personales y garantía de los derechos digitales
LOPDPISP	= Ley Orgánica 7/2021, de 26 de mayo, de protección de datos personales tratados para fines de prevención, detección, investigación y enjuiciamiento de infracciones penales y de ejecución de sanciones penales
n.º	= Número
RGPD	= Reglamento (UE) 2016/679 del Parlamento Europeo y del Consejo de 27 de abril de 2016, relativo a la protección de las personas físicas en lo que respecta al tratamiento de datos personales y a la libre circulación de estos datos y por el que se deroga la Directiva 95/46/CE (Reglamento general de protección de datos).
SEPD	= Supervisor Europeo de Protección de Datos
STJUE	= Sentencia del Tribunal de Justicia de la Unión Europea
TJUE	= Tribunal de Justicia de la Unión Europea
UE	= Unión Europea

PRÓLOGO

«El medio más seguro, pero también el más difícil, de prevenir los delitos, es perfeccionar la educación de los ciudadanos.»

(Cesare Beccaria, *De los delitos y de las penas*, 1764, Italia)[1]

El 25 de enero de 2012 la Comisión propuso al Parlamento Europeo, al Consejo, al Comité Económico y Social Europeo y al Comité de las Regiones una reforma generalizada de las normas de protección de datos de la UE, con el fin de afianzar los derechos a la privacidad en Internet e impulsar la economía digital en Europa[2]. En concreto, se planteaba la aprobación de dos textos jurídicos, un reglamento que sustituyera a la Directiva 95/46/CE, y en el que se fijara el marco jurídico general de protección de datos de la UE, y una directiva que derogara la Decisión Marco 2008/977/JAI16 y fijara las normas sobre la protección de los datos personales tratados con fines de prevención,

---

[1] Tomamos la cita de CESARE BECCARIA de la obra dirigida por HERSCH, JEANNE: *El derecho de ser hombre*, Madrid, Editorial Tecnos/UNESCO, 1984, página 189. Para solemnizar el vigésimo aniversario de la Declaración Universal de Derechos Humanos, la Conferencia General de la Organización de las Naciones Unidas para la Educación, la Ciencia y la Cultura (UNESCO) formuló el deseo de que se publicara una antología de textos surgidos de las tradiciones y épocas más diversas, y que finalmente se plasmó en este libro.

[2] COMUNICACIÓN DE LA COMISIÓN AL PARLAMENTO EUROPEO, AL CONSEJO, AL COMITÉ ECONÓMICO Y SOCIAL EUROPEO Y AL COMITÉ DE LAS REGIONES La protección de la privacidad en un mundo interconectado Un marco europeo de protección de datos para el siglo XXI /* COM/2012/09 final */
https://eur-lex.europa.eu/legal-content/ES/TXT/HTML/?uri=CELEX:52012DC0009&from=ES

detección, investigación o persecución de delitos y para las actividades judiciales correspondientes.

Cuatro años después, en 2016, se aprueban las dos normas que constituyen el actual marco de referencia en materia de protección de datos personales en la UE:

- el Reglamento (UE) 2016/679 del Parlamento Europeo y del Consejo, de 27 de abril de 2016, relativo a la protección de las personas físicas en lo que respecta al tratamiento de datos personales y a la libre circulación de estos datos y por el que se deroga la Directiva 95/46/CE (Reglamento General de Protección de Datos, RGPD),

- y la Directiva (UE) 2016/680 del Parlamento Europeo y del Consejo, de 27 de abril de 2016, relativa a la protección de las personas físicas en lo que respecta al tratamiento de datos personales por parte de las autoridades competentes para fines de prevención, investigación, detección o enjuiciamiento de infracciones penales o de ejecución de sanciones penales, y a la libre circulación de dichos datos y por la que se deroga la Decisión Marco 2008/977/JAI del Consejo.

En nuestro ordenamiento jurídico es la Ley Orgánica 3/2018, de 5 de diciembre, de Protección de Datos Personales y garantía de los derechos digitales, la que adapta el Reglamento General de Protección de Datos (RGPD), en lo que respecta al tratamiento de los datos personales y a la libre circulación de estos datos.

En cuanto a la transposición de la Directiva (UE) 2016/680 del Parlamento Europeo y del Consejo, de 27 de abril de 2016, debía de haberse realizado, conforme a su artículo 63, antes del 6 de mayo de 2018. La STJUE, de 25 de febrero de 2021, asunto C-658/19, Comisión/España, señala que consta que, al expirar el plazo fijado en el dictamen motivado de la Comisión, el 25 de marzo de 2019, España no había adoptado las medidas necesarias para garantizar la transposición de la Directiva ni comunicado dichas medidas a la Comisión. Por ello, el Tribunal de Justicia condena a España a abonar a la Comisión una suma a tanto alzado de 15.000.000 de euros y, si el incumplimiento declarado persiste en la fecha en que se dicte la sentencia, una multa coercitiva diaria de 89.000 euros desde esa fecha y hasta que se ponga fin al incumplimiento declarado.

Finalmente, ya en 2021, se aprueba la Ley Orgánica 7/2021, de 26 de mayo, de protección de datos personales tratados para fines de prevención, detección, investigación y enjuiciamiento de infracciones penales y de ejecución de sanciones penales, que transpone la Directiva (UE) 2016/680 del Parlamento Europeo y del Consejo, de 27 de abril de 2016 (LOPDPISP).

Finalidad y estructura de la presente publicación

La presente edición pretende ser un texto de consulta para todas aquellas personas que deban tratar datos personales para fines de prevención, detección, investigación y enjuiciamiento de infracciones penales y de ejecución de sanciones penales.

Para facilitar su estudio y consulta, además de los textos íntegros de la Directiva (UE) 2016/680 del Parlamento Europeo y del Consejo, de 27 de abril de 2016, y de la Ley Orgánica 7/2021, de 26 de mayo, hemos añadido tres anexos. La bibliografía se recoge en el anexo I, con el fin de que todas las personas que lo requieran puedan profundizar de una forma más reflexiva en la materia. La hemos dividido en dos apartados, el primero dedicado a obras generales sobre protección de datos personales, y el segundo de una forma específica a las obras que estudian el tratamiento de datos personales para fines de prevención, detección, investigación y enjuiciamiento de infracciones penales y de ejecución de sanciones penales. El anexo II, dedicado a la webgrafía, pretende facilitar las páginas web donde ampliar información. Por último, el anexo III contiene un índice analítico para facilitar la búsqueda de los conceptos más relevantes en la materia.

Formación

Qué duda cabe que la formación va a resultar esencial para garantizar la protección de los datos personales tratados para fines de prevención, detección, investigación y enjuiciamiento de infracciones penales y de ejecución de sanciones penales. En concreto, la palabra «formación» aparece en tres ocasiones citada por la Directiva. Especialmente relevante me parece la referencia recogida en el art. 34.b), dedicado a las funciones del delegado de protección de datos, donde se establece que el delegado deberá «supervisar el cumplimiento de lo dispuesto en la presente Directiva, de otras disposiciones de protección de datos de la Unión o de los Estados miembros y de las políticas del responsable del tratamiento en materia de protección de datos personales, incluidas la asignación de responsabilidades, la concienciación y formación del personal que participa en las operaciones de tratamiento, y las auditorías correspondientes». En el mismo sentido se recoge en la Ley Orgánica 7/2021, de 26 de mayo, de protección de datos personales tratados para fines de prevención, detección, investigación y enjuiciamiento de infracciones penales y de ejecución de sanciones penales (art. 42.b).

Reflexión final

Quisiéramos terminar este prólogo con una reflexión. En el año 2020 se cumplieron ciento treinta años de la publicación del ensayo «The Right to Privacy», publicado en *Harvard Law Review*, en 1890, y considerado el artículo más citado e influyente sobre la privacidad. Samuel Warren (1852-1910), abogado, y Louis Brandeis (1856-1941), juez del Tribunal Supremo Federal entre los años 1916-1939, son los autores de este trabajo sobre el derecho a la privacidad, donde defienden que «la protección de la sociedad debe venir, principalmente, del reconocimiento de los derechos de la persona»[3]. No podemos olvidar su reflexión si queremos hacer compatible la eficacia de la cooperación judicial en materia penal y la cooperación policial con la protección del derecho fundamental a la protección de datos personales.

En San Cristóbal de La Laguna (Canarias), a 5 de junio de 2021

JOSÉ MIGUEL HERNÁNDEZ LÓPEZ

---

[3] Tomamos la cita de SAMUEL WARREN y LOUIS BRANDEIS de la edición a cargo de BENIGNO PENDÁS, con traducción de PILAR BASELGA, *El derecho a la intimidad*, Madrid, Editorial Civitas, 1995, p. 72.

§ 1. Directiva (UE) 2016/680 del Parlamento Europeo y del Consejo de 27 de abril de 2016 relativa a la protección de las personas físicas en lo que respecta al tratamiento de datos personales por parte de las autoridades competentes para fines de prevención, investigación, detección o enjuiciamiento de infracciones penales o de ejecución de sanciones penales, y a la libre circulación de dichos datos y por la que se deroga la Decisión Marco 2008/977/JAI del Consejo[1]

Índice

Considerandos

CAPÍTULO I. Disposiciones generales

CAPÍTULO II. Principios

---

[1] Publicada en el Diario Oficial de la Unión Europea L 119/89, de 4 de mayo de 2016. Corrección de errores, Diario Oficial de la Unión Europea L 127/8, de 23 de mayo de 2018.

CAPÍTULO III. Derechos del interesado

CAPÍTULO IV. Responsable del tratamiento y encargado del tratamiento

Sección 1. Obligaciones generales

Sección 2. Seguridad de los datos personales

Sección 3. Delegado de protección de datos

CAPÍTULO V. Transferencias de datos personales a terceros países u organizaciones internacionales

CAPÍTULO VI. Autoridades de control independientes

Sección 1. Independencia

Sección 2. Competencia, funciones y poderes

CAPÍTULO VII. Cooperación

CAPÍTULO VIII. Recursos, responsabilidad y sanciones

CAPÍTULO IX. Actos de ejecución

CAPÍTULO X. Disposiciones finales

§ 1. Directiva (UE) 2016/680 del Parlamento Europeo y del Consejo de 27 de abril de 2016 relativa a la protección de las personas físicas en lo que respecta al tratamiento de datos personales por parte de las autoridades competentes para fines de prevención, investigación, detección o enjuiciamiento de infracciones penales o de ejecución de sanciones penales, y a la libre circulación de dichos datos y por la que se deroga la Decisión Marco 2008/977/JAI del Consejo[2]

EL PARLAMENTO EUROPEO Y EL CONSEJO DE LA UNIÓN EUROPEA,

Visto el Tratado de Funcionamiento de la Unión Europea, y en particular su artículo 16, apartado 2,

Vista la propuesta de la Comisión Europea,

Previa transmisión del proyecto de acto legislativo a los Parlamentos nacionales,

Visto el dictamen del Comité de las Regiones[3],

---

[2]　Diario Oficial de la Unión Europea L 119/89, de 4 de mayo de 2016.
ELI: http://data.europa.eu/eli/dir/2016/680/oj
Corrección de errores, Diario Oficial de la Unión Europea L 127/8, de 23 de mayo de 2018.
https://eur-lex.europa.eu/legal-content/ES/TXT/HTML/?uri=CELEX:32016L0680R(01)&from=ES
En la página web de EUR-Lex, que da acceso al Derecho de la Unión Europea, se puede consultar la Directiva (UE) 2016/680 del Parlamento Europeo y del Consejo de 27 de abril de 2016, en todos los idiomas de la Unión Europea y en los formatos HTML, PDF y en el Diario Oficial de la Unión Europea.
https://eur-lex.europa.eu/eli/dir/2016/680/oj

[3]　DO C 391 de 18.12.2012, p. 127.

De conformidad con el procedimiento legislativo ordinario[4],

Considerando lo siguiente:

(1) La protección de las personas físicas en relación con el tratamiento de los datos de carácter personal es un derecho fundamental. El artículo 8, apartado 1, de la Carta de los Derechos Fundamentales de la Unión Europea (en lo sucesivo, «Carta») y el artículo 16, apartado 1, del Tratado de Funcionamiento de la Unión Europea (TFUE) disponen que toda persona tiene derecho a la protección de los datos de carácter personal que le conciernan.

(2) Los principios y normas relativos a la protección de las personas físicas en lo que respecta al tratamiento de sus datos personales deben, cualquiera que sea su nacionalidad o residencia, respetar sus libertades y derechos fundamentales, en particular el derecho a la protección de los datos personales. La presente Directiva pretende contribuir a la consecución de un espacio de libertad, seguridad y justicia.

(3) La rápida evolución tecnológica y la globalización han planteado nuevos retos en el ámbito de la protección de los datos personales. Se ha incrementado de manera significativa la magnitud de la recogida y del intercambio de datos personales. La tecnología permite el tratamiento de los datos personales en una escala sin precedentes para la realización de actividades como la prevención, la investigación, la detección o el enjuiciamiento de infracciones penales o la ejecución de sanciones penales.

(4) Debe ser facilitada la libre circulación de datos personales entre las autoridades competentes para fines de prevención, investigación, detección o enjuiciamiento de infracciones penales o de ejecución de sanciones penales, incluidas la protección y la prevención frente a las amenazas para la seguridad pública en el seno de la Unión y la trans-

---

4   Posición del Parlamento Europeo de 12 de marzo de 2014 (pendiente de publicación en el Diario Oficial) y posición del Consejo en primera lectura de 8 de abril de 2016 (pendiente de publicación en el Diario Oficial). Posición del Parlamento Europeo de 14 de abril de 2016.

ferencia de estos datos personales a terceros países y organizaciones internacionales, al tiempo que se garantiza un alto nivel de protección de los datos personales. Estos avances exigen el establecimiento de un marco más sólido y coherente para la protección de datos personales en la Unión Europea, que cuente con el respaldo de una ejecución estricta.

(5) La Directiva 95/46/CE del Parlamento Europeo y del Consejo[5] es de aplicación a todas las actividades relacionadas con el tratamiento de datos personales que tengan lugar en los Estados miembros, tanto en el sector público como en el privado. No se aplica, sin embargo, al tratamiento de datos personales que se efectúe «en el ejercicio de actividades no comprendidas en el ámbito de aplicación del Derecho comunitario», como es el caso de las actividades en los ámbitos de la cooperación judicial en materia penal y de la cooperación policial.

(6) La Decisión Marco 2008/977/JAI del Consejo[6] es de aplicación en los ámbitos de la cooperación judicial en materia penal y de la cooperación policial. El ámbito de aplicación de dicha Decisión Marco se limita al tratamiento de los datos personales transmitidos o puestos a disposición entre los Estados miembros.

(7) Para garantizar la eficacia de la cooperación judicial en materia penal y de la cooperación policial, es esencial asegurar un nivel uniforme y elevado de protección de los datos personales de las personas físicas y facilitar el intercambio de datos personales entre las autoridades competentes de los Estados miembros. A tal efecto, el nivel de protección de los derechos y libertades de las personas físicas

---

[5] Directiva 95/46/CE del Parlamento Europeo y del Consejo, de 24 de octubre de 1995, relativa a la protección de las personas físicas en lo que respecta al tratamiento de datos personales y a la libre circulación de estos datos (DO L 281 de 23.11.1995, p. 31).

[6] Decisión Marco 2008/977/JAI del Consejo, de 27 de noviembre de 2008, relativa a la protección de datos personales tratados en el marco de la cooperación policial y judicial en materia penal (DO L 350 de 30.12.2008, p. 60).

en lo que respecta al tratamiento de datos personales por parte de las autoridades competentes para fines de prevención, investigación, detección o enjuiciamiento de infracciones penales o de ejecución de sanciones penales, incluidas la protección y la prevención frente a las amenazas para la seguridad pública, debe ser equivalente en todos los Estados miembros. La protección eficaz de los datos personales en toda la Unión requiere tanto el fortalecimiento de los derechos de los interesados y de las obligaciones de quienes tratan dichos datos personales, como el fortalecimiento de los poderes equivalentes para supervisar y garantizar el cumplimiento de las normas relativas a la protección de los datos personales en los Estados miembros.

(8) El artículo 16, apartado 2, del TFUE exige que el Parlamento Europeo y el Consejo establezcan las normas sobre la protección de las personas físicas respecto del tratamiento de los datos de carácter personal y sobre la libre circulación de estos datos.

(9) Sobre esa base, el Reglamento (UE) 2016/679 del Parlamento Europeo y del Consejo[7] establece las normas generales para la protección de las personas físicas en relación con el tratamiento de los datos personales y para garantizar la libre circulación de datos personales dentro de la Unión.

(10) En la Declaración n.º 21 relativa a la protección de datos de carácter personal en los ámbitos de la cooperación judicial en materia penal y de la cooperación policial, aneja al acta final de la Conferencia Intergubernamental que adoptó el Tratado de Lisboa, la Conferencia reconoció que podrían requerirse normas específicas sobre protección de datos personales y libre circulación de los mismos en los ámbitos de la cooperación judicial en materia penal y de la cooperación policial

---

[7]   Reglamento (UE) 2016/679 del Parlamento Europeo y del Consejo, de 27 de abril de 2016, relativo a la protección de las personas físicas en lo que respecta al tratamiento de datos personales y a la libre circulación de estos datos y por el que se deroga la Directiva 95/46/CE (Reglamento general de protección de datos) (véase la página 1 del presente Diario Oficial).

basada en el artículo 16 del TFUE, en razón de la naturaleza específica de dichos ámbitos.

(11) Conviene por lo tanto que esos ámbitos estén regulados por una directiva que establezca las normas específicas relativas a la protección de las personas físicas en lo que respecta al tratamiento de datos personales por parte de las autoridades competentes para fines de prevención, investigación, detección o enjuiciamiento de infracciones penales o de ejecución de sanciones penales, incluidas la protección y la prevención frente a las amenazas para la seguridad pública. Entre dichas autoridades competentes no solo se deben incluir autoridades públicas tales como las autoridades judiciales, la policía u otras fuerzas y cuerpos de seguridad, sino también cualquier otro organismo o entidad en que el Derecho del Estado miembro haya confiado el ejercicio de la autoridad y las competencias públicas a los efectos de la presente Directiva. Cuando dicho organismo o entidad trate datos personales con fines distintos de los previstos en la presente Directiva, se aplica el Reglamento (UE) 2016/679. Así pues, el Reglamento (UE) 2016/679 se aplica en los casos en los que un organismo o entidad recopile datos personales con otros fines y proceda a su tratamiento para el cumplimiento de una obligación jurídica a la que esté sujeto. Por ejemplo, con fines de investigación, detección o enjuiciamiento de infracciones penales, las instituciones financieras conservan determinados datos personales que ellas mismas tratan y únicamente facilitan dichos datos personales a las autoridades nacionales competentes en casos concretos y de conformidad con el Derecho del Estado miembro. Todo organismo o entidad que trate datos personales en nombre de las citadas autoridades dentro del ámbito de aplicación de la presente Directiva debe quedar obligado por un contrato u otro acto jurídico y por las disposiciones aplicables a los encargados del tratamiento con arreglo a la presente Directiva, mientras que la aplicación del Reglamento (UE) 2016/679 permanece inalterada para el tratamiento de

datos personales por encargados del tratamiento fuera del ámbito de aplicación de la presente Directiva.

(12) Las actividades realizadas por la policía u otras fuerzas y cuerpos de seguridad se centran principalmente en la prevención, investigación, detección o enjuiciamiento de infracciones penales, incluidas las actuaciones policiales en las que no hay constancia de si un incidente es o no constitutivo de infracción penal. También pueden incluir el ejercicio de la autoridad mediante medidas coercitivas, como es el caso de las actuaciones policiales en manifestaciones, grandes acontecimientos deportivos y disturbios. Entre dichas actividades también figura el mantenimiento del orden público, como labor encomendada a la policía o, en su caso, a otras fuerzas y cuerpos de seguridad con fines de protección y prevención frente a las amenazas para la seguridad pública y para los intereses públicos fundamentales jurídicamente protegidos que puedan ser constitutivas de infracciones penales. Los Estados miembros pueden encomendar a las autoridades competentes otras funciones que no necesariamente se lleven a cabo con fines de prevención, investigación, detección o enjuiciamiento de infracciones penales, incluidas la protección y la prevención frente a las amenazas para la seguridad pública, en cuyo caso el tratamiento de datos personales con estos otros fines, en la medida en que esté comprendido en el ámbito de aplicación del Derecho de la Unión, entrará dentro del ámbito de aplicación del Reglamento (UE) 2016/679.

(13) Una infracción penal en el sentido de lo dispuesto en la presente Directiva debe ser un concepto autónomo del Derecho de la Unión, tal y como lo interpreta el Tribunal de Justicia de la Unión Europea (en lo sucesivo, «Tribunal de Justicia»).

(14) Puesto que la presente Directiva no debe aplicarse al tratamiento de datos personales en el marco de una actividad que no esté comprendida en el ámbito de aplicación del Derecho de la Unión, no deben considerarse comprendidas en el ámbito de aplicación de la presente Directiva las actividades relacionadas con la seguridad nacional,

las actividades de los servicios o unidades que traten cuestiones de seguridad nacional y las actividades de tratamiento de datos personales que lleven a cabo los Estados miembros en el ejercicio de las actividades incluidas en el ámbito de aplicación del título V, capítulo 2, del Tratado de la Unión Europea (TUE).

(15) A fin de garantizar el mismo nivel de protección de las personas físicas a través de derechos jurídicamente exigibles en toda la Unión y evitar divergencias que dificulten el intercambio de datos personales entre las autoridades competentes, la presente Directiva debe establecer normas armonizadas para la protección y la libre circulación de los datos personales tratados con fines de prevención, investigación, detección o enjuiciamiento de infracciones penales o de ejecución de sanciones penales, incluidas la protección y la prevención frente a las amenazas para la seguridad pública. La aproximación de las legislaciones de los Estados miembros no debe debilitar la protección de datos personales que ya se ofrece, sino que, por el contrario, debe tratar de garantizar un alto nivel de protección dentro de la Unión. No se debe impedir a los Estados miembros que ofrezcan garantías mayores que las establecidas en la presente Directiva para la protección de los derechos y libertades del interesado con respecto al tratamiento de sus datos personales por parte de las autoridades competentes.

(16) La presente Directiva se entiende sin perjuicio del principio de acceso del público a los documentos oficiales. Según el Reglamento (UE) 2016/679, los datos personales que figuran en documentos oficiales que se encuentren en posesión de una autoridad pública o de un organismo público o privado para la realización de una tarea de interés público pueden ser divulgados por dicha autoridad u organismo de conformidad con el Derecho de la Unión o del Estado miembro que resulte de aplicación a dicha autoridad u organismo público a fin de conciliar el derecho de acceso del público a los documentos oficiales con el derecho a la protección de los datos personales.

(17) La protección otorgada por la presente Directiva debe aplicarse a las personas físicas, independientemente de su nacionalidad o lugar de residencia, en lo que se refiere al tratamiento de sus datos personales.

(18) Para evitar que se produzcan graves riesgos de elusión, la protección de las personas físicas debe ser tecnológicamente neutra y no debe depender de las técnicas utilizadas. La protección de las personas físicas debe aplicarse al tratamiento automatizado de los datos personales, así como a su tratamiento manual si los datos personales están contenidos o destinados a ser incluidos en un fichero. Los ficheros o conjuntos de ficheros y sus portadas que no estén estructurados con arreglo a criterios específicos no deben incluirse en el ámbito de aplicación de la presente Directiva.

(19) El Reglamento (CE) n.º 45/2001 del Parlamento Europeo y del Consejo[8] se aplica al tratamiento de datos personales por parte de las instituciones, órganos y organismos de la Unión. El Reglamento (CE) n.º 45/2001 y los demás actos jurídicos de la Unión aplicables a ese tipo de tratamiento de datos personales deben adaptarse a los principios y normas establecidos en el Reglamento (UE) 2016/679.

(20) La presente Directiva no impide que, en las normas nacionales relativas a los procesos penales, los Estados miembros especifiquen operaciones y procedimientos de tratamiento relativos al tratamiento de datos personales por parte de tribunales y otras autoridades judiciales, en particular en lo que respecta a los datos personales contenidos en resoluciones judiciales o en registros relacionados con procesos penales.

(21) Los principios de la protección de datos deben aplicarse a toda la información relativa a una persona física identificada o identificable.

---

[8] Reglamento (CE) n.º 45/2001 del Parlamento Europeo y del Consejo, de 18 de diciembre de 2000, relativo a la protección de las personas físicas en lo que respecta al tratamiento de datos personales por las instituciones y los organismos comunitarios y a la libre circulación de estos datos (DO L 8 de 12.1.2001, p. 1).

Para determinar si una persona física es identificable deben tenerse en cuenta todos los medios con respecto a los cuales existe una probabilidad razonable de que puedan ser utilizados por el responsable del tratamiento o por cualquier otra persona para la identificación directa o indirecta de dicha persona física. Para determinar si existe una probabilidad razonable de que se utilicen unos medios determinados para la identificación de una persona física deben tenerse en cuenta todos los factores objetivos, como los costes y el tiempo necesarios para la identificación, teniendo en cuenta tanto la tecnología disponible en el momento del tratamiento como los avances tecnológicos. Por tanto, los principios de protección de datos personales no deben aplicarse a la información anónima, a saber, información que no guarda relación con una persona física identificada o identificable, ni a los datos personales convertidos en anónimos de forma que el interesado al que se refieren ya no resulte identificable.

(22) Las autoridades públicas a las que se les faciliten datos personales en virtud de una obligación jurídica para el ejercicio de su misión oficial, como las autoridades fiscales y aduaneras, las unidades de investigación financiera, las autoridades administrativas independientes o los organismos de supervisión de los mercados financieros, responsables de la reglamentación y supervisión de los mercados de valores, no deben considerarse destinatarios de datos si reciben datos personales que son necesarios para llevar a cabo una investigación concreta de interés general, de conformidad con el Derecho de la Unión o de los Estados miembros. Las autoridades públicas siempre deben solicitar los datos por escrito, de forma justificada y con carácter ocasional, y los datos solicitados no podrán referirse a la totalidad de un fichero o suponer la interconexión de varios ficheros. El tratamiento de datos personales por las citadas autoridades públicas debe estar en consonancia con la normativa en materia de protección de datos que resulte de aplicación en función de la finalidad del tratamiento.

(23) Debe entenderse por datos genéticos todos los datos personales relacionados con las características genéticas de una persona física que se hayan heredado o adquirido y que aporten información única sobre la fisiología o la salud de esa persona física, y que resultan de análisis de una muestra biológica de la persona física de que se trate, en particular cromosómicos, del ácido desoxirribonucleico (ADN) o del ácido ribonucleico (ARN), o de análisis de cualquier otro elemento que permita obtener información equivalente. Habida cuenta de la complejidad y la sensibilidad de la información genética, existe un alto riesgo de que el responsable del tratamiento haga un uso indebido de la misma o la reutilice con fines no autorizados. Toda discriminación por razón de características genéticas debe quedar prohibida con carácter general.

(24) Entre los datos personales relacionados con la salud se deberían incluir todos los datos relativos al estado de salud del interesado que revelen información relativa al estado de la salud física o mental pasado, presente o futuro del interesado, incluidos los datos personales recopilados durante la inscripción de una persona física a efectos de la prestación de servicios de asistencia sanitaria a dicha persona o durante la prestación de tales servicios, de conformidad con lo dispuesto en la Directiva 2011/24/UE del Parlamento Europeo y del Consejo[9]; todo número, símbolo o dato asignado a una persona física que la identifique de manera unívoca a efectos sanitarios; la información obtenida de pruebas o exámenes de una parte del cuerpo o de una sustancia corporal, incluidos los datos genéticos y las muestras biológicas, y cualquier información relativa, por ejemplo, a una enfermedad, una discapacidad, el riesgo de padecer enfermedades, el historial médico, el tratamiento clínico o el estado fisiológico o biomédico del

---

[9]   Directiva 2011/24/UE del Parlamento Europeo y del Consejo, de 9 de marzo de 2011, relativa a la aplicación de los derechos de los pacientes en la asistencia sanitaria transfronteriza (DO L 88 de 4.4.2011, p. 45).

interesado, independientemente de su fuente, ya sea un médico u otro profesional sanitario, un hospital, un dispositivo médico, o una prueba diagnóstica in vitro, por ejemplo.

(25) Todos los Estados miembros están afiliados a la Organización Internacional de Policía Criminal (Interpol). Para cumplir su misión, Interpol recibe, almacena y distribuye datos personales para ayudar a las autoridades competentes a prevenir y combatir la delincuencia internacional. Por ello, conviene reforzar la cooperación entre la Unión e Interpol facilitando un intercambio eficaz de datos personales, a la vez que se garantiza el respeto de los derechos y libertades fundamentales en relación con el tratamiento automatizado de los datos personales. Cuando se transmitan datos desde la Unión a Interpol y a los países que hayan destinado miembros a dicha organización, resultará de aplicación la presente Directiva, en particular lo dispuesto en materia de transmisiones internacionales de datos. La presente Directiva se entenderá sin perjuicio de las normas específicas establecidas en la Posición Común 2005/69/JAI del Consejo[10] y en la Decisión 2007/533/ JAI del Consejo[11].

(26) Todo tratamiento de datos personales debe ser lícito, leal y transparente en relación con las personas físicas afectadas, y únicamente podrá llevarse a cabo con los fines específicos previstos en la ley. Ello no impide, per se, que las autoridades policiales puedan llevar a cabo actividades tales como las investigaciones encubiertas o la videovigilancia. Tales actividades pueden realizarse con fines de prevención, investigación, detección o enjuiciamiento de infracciones penales o de ejecución de sanciones penales, incluidas la protección y prevención frente a las amenazas para la seguridad pública, siempre

---

[10]   Posición Común 2005/69/JAI del Consejo, de 24 de enero de 2005, relativa al intercambio de determinados datos con Interpol (DO L 27 de 29.1.2005, p. 61).

[11]   Decisión 2007/533/JAI del Consejo, de 12 de junio de 2007, relativa al establecimiento, funcionamiento y utilización del Sistema de Información de Schengen de segunda generación (SIS II) (DO L 205 de 7.8.2007, p. 63).

y cuando estén previstas en la legislación y constituyan una medida necesaria y proporcionada en una sociedad democrática, con el debido respeto a los intereses legítimos de la persona física afectada. El principio de tratamiento leal en materia de protección de datos es un concepto distinto del derecho a un «juicio imparcial», según se define en el artículo 47 de la Carta y en el artículo 6 del Convenio Europeo para la Protección de los Derechos Humanos y de las Libertades Fundamentales (en lo sucesivo, «CEDH»). Debe informarse a las personas físicas de los riesgos, reglas, salvaguardias y derechos aplicables en relación con el tratamiento de sus datos personales, así como del modo de hacer valer sus derechos en relación con dicho tratamiento. En particular, los fines específicos a los que obedezca el tratamiento de los datos personales deben ser explícitos y legítimos, y deben determinarse en el momento de la recopilación de los datos personales. Los datos personales deben ser adecuados y pertinentes en relación con los fines para los que se tratan, lo cual requiere, en particular, que se garantice que los datos personales recogidos no son excesivos ni se conservan más tiempo del que sea necesario para los fines con los que se tratan. Los datos personales solo deberían ser objeto de tratamiento si la finalidad del tratamiento no puede lograrse razonablemente por otros medios. Para garantizar que los datos no se conservan más tiempo del necesario, el responsable del tratamiento ha de establecer plazos para su eliminación o revisión periódica. Los Estados miembros deben establecer las salvaguardias adecuadas en relación con los datos personales almacenados por períodos más largos para su archivo por cuestiones de interés público o para su uso científico, estadístico o histórico.

(27) Para la prevención, investigación y enjuiciamiento de las infracciones penales, es necesario que las autoridades competentes traten datos personales recopilados en el contexto de la prevención, la investigación, la detección o el enjuiciamiento de infracciones penales concretas más allá de ese contexto específico, con el fin de adquirir un

mejor conocimiento de las actividades delictivas y establecer vínculos entre las distintas infracciones penales detectadas.

(28) Con el fin de mantener la seguridad del tratamiento y evitar que con él se infrinja lo dispuesto en la presente Directiva, los datos personales deben ser tratados de modo que se garantice un nivel adecuado de seguridad y confidencialidad, en particular impidiendo el acceso sin autorización a dichos datos o el uso no autorizado de los mismos y del equipo utilizado en el tratamiento, teniendo en cuenta el desarrollo técnico existente y la tecnología, los costes de ejecución con respecto a los riesgos y la naturaleza de los datos personales que deban protegerse.

(29) Los datos personales deben recogerse con fines determinados, explícitos y legítimos dentro del ámbito de aplicación de la presente Directiva y no deben ser tratados para fines incompatibles con los fines de la prevención, la investigación, la detección o el enjuiciamiento de infracciones penales o la ejecución de sanciones penales, incluidas la protección y la prevención frente a las amenazas para la seguridad pública. Si el mismo u otro responsable del tratamiento trata datos personales con alguno de los fines previstos en el ámbito de aplicación de la presente Directiva distinto del fin para el que los datos fueron recopilados, dicho tratamiento debe permitirse con la condición de que el mismo esté autorizado con arreglo a la legislación aplicable y sea necesario y proporcionado para dicho otro fin.

(30) El principio de exactitud de los datos debe aplicarse teniendo presente el carácter y finalidad del tratamiento correspondiente. En particular en los procedimientos judiciales, las declaraciones que contienen datos personales se basan en la percepción subjetiva de las personas físicas y no siempre son verificables. En consecuencia, el requisito de exactitud no debe relacionarse con la exactitud de una afirmación, sino exclusivamente con el hecho de que se ha formulado una afirmación concreta.

(31) Es inherente al tratamiento de datos personales en los ámbitos de la cooperación judicial en materia penal y de la cooperación policial que se traten datos personales relativos a diferentes categorías de interesados. Por ello, si procede y siempre que sea posible, se deben diferenciar claramente los datos personales de distintas categorías de interesados, tales como los sospechosos, los condenados por una infracción penal, las víctimas o los terceros, entre los que se incluyen los testigos, las personas que posean información o contactos útiles y los cómplices de sospechosos y delincuentes condenados. Lo anterior no debe impedir la aplicación del derecho a la presunción de inocencia tal como lo garantiza la Carta y el CEDH, según los ha interpretado la jurisprudencia del Tribunal de Justicia y del Tribunal Europeo de Derechos Humanos, respectivamente.

(32) Las autoridades competentes deben velar por que los datos personales que sean inexactos, incompletos o que no estén actualizados no se transmitan ni estén disponibles. Con el fin de garantizar tanto la protección de las personas físicas como la exactitud, integridad, actualidad y fiabilidad de los datos personales que se transmitan o se pongan a disposición de terceros, las autoridades competentes deben, en la medida de lo posible, añadir la información necesaria a todos los datos personales que transmitan.

(33) Las referencias de la presente Directiva al Derecho de un Estado miembro, a una base jurídica o a una medida legislativa no requieren necesariamente la existencia de un acto legislativo adoptado por un Parlamento, sin perjuicio de los requisitos exigidos por el ordenamiento constitucional del Estado miembro de que se trate. No obstante, dicho Derecho de un Estado miembro, base jurídica o medida legislativa debe ser clara y precisa y su aplicación previsible para quienes estén sujetos a la misma, tal y como exige la jurisprudencia del Tribunal de Justicia y del Tribunal Europeo de Derechos Humanos. Cuando en el Derecho de un Estado miembro se regule el tratamiento de los datos personales dentro del ámbito de aplicación de la presente

Directiva, se deben indicar al menos los objetivos del tratamiento, los datos personales que serán objeto del mismo, la finalidad del tratamiento, los procedimientos para el mantenimiento de la integridad y la confidencialidad de los datos personales y los procedimientos para su destrucción, proporcionando con ello garantías suficientes frente a los riesgos de abuso y arbitrariedad.

(34) El tratamiento de datos personales por parte de las autoridades competentes para fines de prevención, investigación, detección o enjuiciamiento de infracciones penales o de ejecución de sanciones penales, incluidas la protección y la prevención frente a amenazas para la seguridad pública, debe abarcar toda operación o conjunto de operaciones con datos personales o conjuntos de datos personales que se lleve a cabo con tales fines, ya sea de modo automatizado o no, y entre las que se incluye la recopilación, registro, organización, estructuración, almacenamiento, adaptación o modificación, recuperación, consulta, utilización, cotejo o combinación, limitación del tratamiento, supresión o destrucción de datos. En particular, las normas de la presente Directiva deben aplicarse a la transmisión de datos personales a los efectos de la presente Directiva a un destinatario que no esté sometido a la misma. Por «destinatario» debe entenderse toda persona física o jurídica, autoridad pública, servicio u otro organismo al que la autoridad competente comunique los datos personales de forma lícita. Si los datos personales fueron recopilados inicialmente por una autoridad competente para alguno de los fines previstos en la presente Directiva, el tratamiento de dichos datos para fines distintos de los previstos en la presente Directiva se regirá por lo dispuesto en el Reglamento (UE) 2016/679, siempre que dicho tratamiento esté autorizado por el Derecho de la Unión o del Estado miembro. En particular, las normas del Reglamento (UE) 2016/679 deben aplicarse a la transmisión de datos personales con fines no previstos en el ámbito de aplicación de la presente Directiva. Para el tratamiento de datos personales por parte de un destinatario que no sea una autoridad competente o que esté

actuando como tal en el sentido de la presente Directiva y a quien una autoridad competente haya comunicado datos personales lícitamente, se estará a lo dispuesto en el Reglamento (UE) 2016/679. Al aplicar la presente Directiva, los Estados miembros deben poder precisar también la aplicación de las normas del Reglamento (UE) 2016/679, con sujeción a las condiciones establecidas en el mismo.

(35) Para que sea lícito, el tratamiento de datos personales en virtud de la presente Directiva debe ser necesario para el desempeño de una función de interés público llevada a cabo por una autoridad competente en virtud del Derecho de la Unión o de un Estado miembro con fines de prevención, investigación, detección o enjuiciamiento de infracciones penales o de ejecución de sanciones penales, incluidas la protección y la prevención frente a las amenazas para la seguridad pública. Entre tales actividades debe incluirse la protección de los intereses vitales del interesado. El ejercicio de las funciones de prevención, investigación, detección o enjuiciamiento de infracciones penales que la legislación atribuye institucionalmente a las autoridades competentes permite a estas exigir u ordenar a las personas físicas que atiendan a las solicitudes que se les dirijan. En este caso, el consentimiento del interesado [según se define en el Reglamento (UE) 2016/679] no constituye un fundamento jurídico para el tratamiento de los datos personales por las autoridades competentes. Cuando se exige al interesado que cumpla una obligación jurídica, este no goza de verdadera libertad de elección, por lo que no puede considerarse que su respuesta constituya una manifestación libre de su voluntad. Ello no debe ser óbice para que los Estados miembros establezcan en su legislación la posibilidad de que el interesado pueda aceptar el tratamiento de sus datos personales a los efectos de la presente Directiva, por ejemplo, para la realización de pruebas de ADN en las investigaciones penales o el control del paradero del interesado mediante dispositivos electrónicos para la ejecución de sanciones penales.

(36) Los Estados miembros deben establecer que, cuando el Derecho de la Unión o de los Estados miembros que sean de aplicación a la autoridad transmisora competente dispongan la aplicación de condiciones específicas al tratamiento de datos personales en circunstancias específicas (como el uso de códigos de tratamiento), la autoridad transmisora competente debe informar de dichas condiciones y de la obligación de respetarlas al destinatario al que se transmiten los datos. Tales condiciones pueden incluir, por ejemplo, la prohibición de transmitir los datos personales a otros o utilizarlos para otros fines distintos de aquellos para los que fueron transmitidos al destinatario, o, en caso de limitación del derecho de información, la prohibición de que dicho destinatario informe al interesado sin la autorización previa de la autoridad transmisora competente. Dichas obligaciones también resultan de aplicación a las transmisiones de datos por parte de la autoridad transmisora competente a destinatarios de terceros países u organizaciones internacionales. Los Estados miembros deben establecer que la citada autoridad competente no aplique a los destinatarios de otros Estados miembros o a los órganos y organismos establecidos en virtud de la tercera parte, título V, capítulos 4 y 5, del TFUE condiciones distintas de las aplicables a las transmisiones de datos similares que tengan lugar dentro del Estado miembro de la autoridad transmisora competente.

(37) Especial protección merecen los datos personales que, por su naturaleza, son particularmente sensibles en relación con los derechos y las libertades fundamentales, ya que el contexto de su tratamiento puede generar riesgos importantes para los derechos y las libertades fundamentales. Dichos datos personales deben incluir aquellos que pongan de manifiesto el origen racial o étnico, entendiéndose que el término «origen racial» empleado en la presente Directiva no implica la aceptación por parte de la Unión Europea de teorías que traten de determinar la existencia de razas humanas diferentes. Tales datos personales no deben ser objeto de tratamiento, salvo que el

tratamiento esté supeditado a las garantías adecuadas de protección de los derechos y libertades del interesado que se establecen en la legislación y esté permitido en los casos autorizados por la ley; o, si no está ya autorizado por dicha legislación, que el tratamiento sea necesario para proteger los intereses vitales del interesado o de otra persona, o que el tratamiento se refiera a datos que el interesado ya ha hecho públicos de forma manifiesta. Entre las garantías adecuadas de protección de los derechos y libertades del interesado pueden figurar, por ejemplo, la posibilidad de recopilar tales datos únicamente en relación con otros datos de la persona física afectada, la posibilidad de proteger adecuadamente los datos recopilados, el establecimiento de normas más estrictas para el acceso a los datos por parte del personal de la autoridad competente, o la prohibición de transmisión de dichos datos. El tratamiento de este tipo de datos también debe estar jurídicamente permitido si el interesado ha acordado de forma explícita que el tratamiento de los datos resulte especialmente intrusivo para las personas. Sin embargo, el consentimiento del interesado no debe constituir en sí mismo un fundamento jurídico para que las autoridades competentes procedan al tratamiento de datos personales sensibles como los mencionados.

(38) El interesado debe tener derecho a no ser objeto de una decisión que evalúe aspectos personales que le conciernen que se base únicamente en un tratamiento automatizado de los datos y que tenga efectos jurídicos adversos que le conciernan o le afecten significativamente. En todo caso, este tipo de tratamiento debe estar sujeto a las garantías apropiadas, lo que incluye informar de forma específica al interesado, así como el derecho a la intervención humana, en particular para que el interesado pueda expresar su punto de vista, obtener una explicación de la decisión adoptada tras dicha evaluación, o ejercer su derecho a impugnar la decisión. Queda prohibida la elaboración de perfiles que dé lugar a la discriminación de personas físicas por razones basadas en datos personales que, por su naturaleza, son especialmente

sensibles en relación con los derechos y las libertades fundamentales, con arreglo a las condiciones previstas en los artículos 21 y 52 de la Carta.

(39) Para poder ejercer sus derechos, toda la información dirigida al interesado debe ser fácilmente accesible, en particular, en el sitio web del responsable del tratamiento, y fácil de entender, para lo que debe emplearse un lenguaje claro y sencillo. Dicha información debe adaptarse a las necesidades de las personas vulnerables, entre las que se incluyen los niños.

(40) Deben arbitrarse fórmulas para facilitar al interesado el ejercicio de sus derechos con arreglo a las disposiciones adoptadas de conformidad con la presente Directiva, incluidos mecanismos para solicitar y, en su caso, obtener, de forma gratuita, el acceso a sus datos personales, así como su rectificación o supresión y la limitación de su tratamiento. El responsable del tratamiento debe estar obligado a responder sin dilación indebida a las solicitudes del interesado, salvo que aplique restricciones a los derechos del interesado de conformidad con la presente Directiva. Asimismo, si las solicitudes son manifiestamente infundadas o excesivas, como cuando el interesado solicita información de forma poco razonable y repetitiva o abusa de su derecho a recibir información, por ejemplo proporcionando información falsa o engañosa al presentar la solicitud, el responsable del tratamiento debe ser capaz de exigir el pago de un canon razonable o negarse a dar curso a la solicitud.

(41) Cuando el responsable del tratamiento solicite información complementaria que resulte necesaria para confirmar la identidad del interesado, dicha información debe tratarse únicamente a tal efecto y no debe almacenarse más tiempo del que sea necesario para dicho fin.

(42) Debe informarse al interesado, como mínimo, de lo siguiente: la identidad del responsable del tratamiento, la existencia de la operación de tratamiento, los fines del tratamiento, el derecho a presentar una reclamación y el derecho a solicitar al responsable del tratamiento

el acceso a los datos personales, su rectificación o supresión, o la limitación de su tratamiento. Esta información se podrá facilitar en el sitio web de la autoridad competente. Además, en determinados casos y con el fin de permitir que ejerza sus derechos, debe informarse al interesado de la base jurídica en la que se fundamenta el tratamiento y del período durante el que se conservarán los datos, siempre que dicha información adicional resulte necesaria y habida cuenta de las circunstancias concretas en que se produce el tratamiento de los datos, a fin de garantizar un tratamiento leal en lo que respecta al interesado.

(43) Toda persona física debe tener derecho a acceder a los datos que se hayan recopilado en relación con ella y a poder ejercer este derecho con facilidad y a intervalos razonables, con el fin de conocer y verificar la licitud del tratamiento. Todo interesado debe, por tanto, tener derecho a conocer y a que se le comuniquen, en particular, la finalidad del tratamiento, el plazo de conservación de los datos y los destinatarios que los reciben, incluso en terceros países. Cuando esta comunicación incluya información relativa al origen de los datos personales, dicha información no debe revelar la identidad de ninguna persona física, sobre todo cuando se trate de fuentes confidenciales. Para que se considere que se ha respetado ese derecho, basta con que el interesado esté en posesión de un resumen completo de tales datos presentados de forma inteligible, es decir, de forma que el interesado pueda tener conocimiento de los mismos y verificar que son exactos y que su tratamiento se ha realizado de conformidad con la presente Directiva, de modo que, si ha lugar, pueda ejercer los derechos que esta le confiere. Dicho resumen puede ser una copia de los datos personales que están siendo objeto de tratamiento.

(44) Debe permitirse a los Estados miembros adoptar medidas legislativas que retrasen, limiten u omitan que se facilite información a los interesados o que limiten, total o parcialmente, el acceso de los interesados a sus datos personales, en la medida en que dichas medidas sean necesarias y proporcionadas en una sociedad democrá-

tica y mientras sigan siéndolo, con el debido respeto a los derechos fundamentales y los intereses legítimos de la persona física afectada, con el fin de no entorpecer las indagaciones, investigaciones o procedimientos oficiales o judiciales, de no perjudicar la prevención, investigación, detección o enjuiciamiento de infracciones penales o la ejecución de sanciones penales, de proteger la seguridad pública o la seguridad nacional o de salvaguardar los derechos y las libertades de terceros. El responsable del tratamiento debe evaluar, mediante un análisis individual y específico de cada caso, si procede o no restringir, total o parcialmente, el derecho de acceso.

(45) Toda denegación o restricción de acceso debe, en principio, comunicarse por escrito al interesado precisando los fundamentos de hecho o de Derecho en los que se basa la decisión.

(46) Toda restricción de los derechos del interesado debe cumplir con lo dispuesto en la Carta y el CEDH, según los ha interpretado la jurisprudencia del Tribunal de Justicia y del Tribunal Europeo de Derechos Humanos, respectivamente, y, en particular, respetar el contenido esencial de los citados derechos y libertades.

(47) Toda persona física debe tener derecho a la rectificación de aquellos datos personales inexactos que le conciernan, en particular cuando estén relacionados con hechos, así como a la supresión de los datos cuyo tratamiento no se ajuste a lo dispuesto en la presente Directiva. Sin embargo, el derecho de rectificación no debe afectar, por ejemplo, al contenido de la declaración de un testigo. Asimismo, toda persona física debe tener derecho a la limitación del tratamiento cuando, tras impugnar la exactitud de un dato de carácter personal, no sea posible determinar su exactitud o inexactitud, o cuando los datos personales deban conservarse a efectos probatorios. En particular, en lugar de suprimir los datos personales, el tratamiento debe limitarse si en un caso concreto hay razones justificadas para suponer que la supresión podría perjudicar los intereses legítimos del interesado. En tal caso, los datos restringidos podrán tratarse únicamente para

los fines que impidieron su supresión. Entre los métodos para limitar el tratamiento de datos personales podrían incluirse, entre otros, los consistentes en trasladar los datos seleccionados a otro sistema de tratamiento, por ejemplo a efectos de archivo, o en impedir el acceso a los datos seleccionados. En los ficheros automatizados, la limitación del tratamiento de datos personales debe hacerse, en principio, por medios técnicos; la limitación del tratamiento de los datos personales debe indicarse en el sistema de tal modo que quede claro que el tratamiento de los datos personales está limitado. Debe notificarse a los destinatarios a los que se hayan comunicado los datos inexactos y a las autoridades competentes de las que procedan dichos datos inexactos que se ha procedido a rectificar o suprimir los datos personales o a limitar su tratamiento. Los responsables del tratamiento deben abstenerse asimismo de toda divulgación ulterior de los citados datos.

(48) Si el responsable del tratamiento deniega al interesado sus derechos de información, acceso a los datos personales, o rectificación o supresión de estos, o la limitación de su tratamiento, el interesado debe tener derecho a solicitar que la autoridad nacional de control verifique la licitud del tratamiento. El interesado debe ser informado de este derecho. Cuando actúe por cuenta del interesado, la autoridad de control debe informarle, como mínimo, de que ha llevado a cabo todas las verificaciones o revisiones necesarias. La autoridad de control también debe informar al interesado de su derecho a la tutela judicial.

(49) Cuando los datos personales sean tratados en el transcurso de una investigación penal o un procedimiento judicial en materia penal, el ejercicio de los derechos de información, acceso a los datos personales, rectificación o supresión de estos y la limitación de su tratamiento podrá ejercerse de conformidad con el Derecho procesal nacional.

(50) Se debe establecer la responsabilidad del responsable del tratamiento en relación con cualquier tratamiento de datos personales realizado por él mismo o en su nombre. En particular, el responsable del tratamiento debe estar obligado a poner en marcha medidas opor-

tunas y eficaces y a poder demostrar la conformidad de las actividades de tratamiento con la presente Directiva. Estas medidas deben tener en cuenta la naturaleza, el alcance, el contexto y los fines del tratamiento, así como el riesgo que representan para los derechos y las libertades de las personas físicas. Las medidas adoptadas por el responsable del tratamiento deben incluir la formulación y puesta en marcha de salvaguardias específicas en relación con el tratamiento de los datos personales de personas físicas vulnerables, en particular los niños.

(51) Los riesgos para los derechos y libertades de los interesados, de diversa probabilidad y gravedad, pueden producirse debido a un tratamiento de datos capaz de provocar daños físicos, materiales o inmateriales, en particular cuando el tratamiento pueda dar lugar a problemas de discriminación, usurpación de identidad o fraude, pérdidas económicas, menoscabo de la reputación, pérdida de confidencialidad de datos sujetos al secreto profesional, inversión no autorizada de la seudonimización, o cualquier otro perjuicio económico o social significativo; cuando los interesados se vean privados de sus derechos y libertades o de la posibilidad de ejercer el control sobre sus datos personales; cuando los datos personales tratados pongan de manifiesto el origen étnico o racial, las opiniones políticas, las convicciones religiosas o filosóficas o la afiliación sindical, cuando se traten datos genéticos o datos biométricos que permiten la identificación unívoca de una persona o cuando se traten datos relativos a la salud o a la vida y orientación sexuales o a los antecedentes e infracciones penales u otras medidas de seguridad relacionadas; cuando se evalúen aspectos personales, en particular en el marco del análisis y la predicción de aspectos referidos al rendimiento en el trabajo, la situación económica, la salud, las preferencias o intereses personales, la fiabilidad o el comportamiento, la ubicación o los movimientos, con el fin de crear o utilizar perfiles personales; cuando se traten datos personales de personas físicas vulnerables, en particular los niños; o cuando el tra-

tamiento se refiera a una gran cantidad de datos personales y afecte a un elevado número de interesados.

(52) La probabilidad y la gravedad del riesgo debe determinarse en función de la naturaleza, el alcance, el contexto y los fines del tratamiento de datos. El riesgo debe determinarse basándose en una evaluación objetiva, mediante la cual se determine si las operaciones de tratamiento de datos suponen un alto riesgo. Un alto riesgo es un especial riesgo de perjuicio para los derechos y libertades de los interesados.

(53) La protección de los derechos y libertades de las personas físicas con respecto al tratamiento de datos personales exige la adopción de las oportunas medidas de carácter técnico y organizativo con el fin de garantizar el cumplimiento de lo dispuesto en la presente Directiva. La aplicación de tales medidas no puede depender únicamente de criterios económicos. A fin de poder demostrar que cumple lo dispuesto en la presente Directiva, el responsable del tratamiento debe adoptar políticas internas y aplicar medidas que respeten, en particular, los principios de la protección de datos desde la concepción y de la protección de datos por defecto. Cuando el responsable del tratamiento haya llevado a cabo una evaluación de impacto relativa a la protección de datos con arreglo a lo dispuesto en la presente Directiva, los resultados de dicha evaluación se deben tener en cuenta en la formulación de tales medidas y procedimientos. Dichas medidas pueden consistir, entre otras cosas, en la utilización, lo antes posible, de procesos de seudonimización. El uso de la seudonimización a los efectos de la presente Directiva puede contribuir, en particular, a la libre circulación de datos personales dentro del espacio de libertad, seguridad y justicia.

(54) La protección de los derechos y libertades de los interesados, así como la responsabilidad de los responsables y encargados del tratamiento, también en lo que respecta a la supervisión por parte de las autoridades de control y a las medidas adoptadas por ellas, requieren una atribución clara de las responsabilidades en virtud de la presente

Directiva, incluidos los casos en los que un responsable determine los fines y medios del tratamiento de forma conjunta con otros responsables del tratamiento o en los que el tratamiento se lleve a cabo por cuenta de otro responsable.

(55) La realización del tratamiento por un encargado del tratamiento debe regirse por un acto jurídico, en particular, un contrato que obligue al encargado frente al responsable del tratamiento y que estipule, concretamente, que el encargado debe actuar únicamente con arreglo a las instrucciones del responsable. El encargado del tratamiento debe tener en cuenta los principios de la protección de datos desde la concepción y de la protección de datos por defecto.

(56) Para demostrar que se cumple lo dispuesto en la presente Directiva, el responsable o el encargado del tratamiento debe mantener registros relativos a todas las categorías de actividades de tratamiento que se lleven a cabo bajo su responsabilidad. Todos los responsables y todos los encargados del tratamiento deben estar obligados a cooperar con la autoridad de control y a poner dichos registros a su disposición, cuando lo solicite, de modo que puedan servir para supervisar las operaciones de tratamiento. Los responsables o los encargados del tratamiento que traten datos personales mediante sistemas de tratamiento no automatizado deben contar con métodos eficaces, como los registros diarios o de otro tipo, para demostrar la licitud del tratamiento, permitir el autocontrol y garantizar la integridad y la seguridad de los datos.

(57) Deben conservarse registros, como mínimo, de las operaciones llevadas a cabo mediante sistemas de tratamiento automatizado, entre las que se incluyen la recopilación, la modificación, la consulta, la comunicación (incluida la transmisión), la combinación o la supresión de datos. Los datos identificativos de la persona que consulta o comunica los datos personales deben quedar registrados y, a partir de dichos datos, debe ser posible establecer la justificación de las operaciones de tratamiento. Los registros se deben utilizar únicamente para com-

probar la licitud del tratamiento de datos, a efectos de autocontrol y para garantizar la integridad y la seguridad de los datos y los procesos penales. El autocontrol abarca, asimismo, los procedimientos disciplinarios en el seno de las autoridades competentes.

(58) El responsable del tratamiento debe realizar una evaluación del impacto sobre la protección de datos cuando exista la probabilidad de que, por su naturaleza, alcance o fines, las operaciones de tratamiento entrañen un alto riesgo para los derechos y las libertades de los interesados; dicha evaluación debe incluir, en particular, las medidas, garantías y mecanismos previstos para garantizar la protección de los datos personales y demostrar la conformidad con la presente Directiva. Las evaluaciones de impacto deben abarcar los sistemas y procesos correspondientes de las operaciones de tratamiento, pero no harán referencia a casos concretos.

(59) Con el fin de garantizar la protección efectiva de los derechos y las libertades de los interesados, en determinados casos, el responsable o el encargado del tratamiento debe consultar a la autoridad de control antes del tratamiento previsto.

(60) Al objeto de mantener la seguridad y evitar que el tratamiento infrinja lo dispuesto en la presente Directiva, el responsable o el encargado del tratamiento deben evaluar los riesgos inherentes al tratamiento y aplicar medidas para mitigarlos, como el cifrado. Estas medidas deben garantizar un nivel de seguridad adecuado, incluida la confidencialidad, teniendo en cuenta el estado de la técnica, el coste de su aplicación con respecto al riesgo y la naturaleza de los datos personales que deban protegerse. En la evaluación de los riesgos relacionados con la seguridad de los datos, se deben tener en cuenta los riesgos que se derivan del tratamiento de los datos, como la destrucción accidental o ilícita, la pérdida, la alteración, la comunicación no autorizada o el acceso no autorizado a datos personales transmitidos, almacenados o sometidos a cualquier otro tipo de tratamiento, que puedan ocasionar, en particular, perjuicios físicos, materiales o

inmateriales. El responsable y el encargado del tratamiento deben asegurarse de que el tratamiento de datos personales no lo llevan a cabo personas no autorizadas.

(61) Si no se toman medidas adecuadas de manera adecuada y oportuna, las violaciones de la seguridad de datos personales pueden dar lugar a daños y perjuicios físicos, materiales o inmateriales para las personas físicas, entre los que se incluyen la pérdida de control sobre sus datos personales o la restricción de sus derechos, la discriminación, la usurpación de la identidad, las pérdidas financieras, la inversión no autorizada de una seudonimización, el menoscabo de la reputación, la pérdida de confidencialidad de datos personales sujetos al secreto profesional o cualquier otro perjuicio económico o social significativo para la persona física en cuestión. Por ello, en cuanto el responsable del tratamiento tenga conocimiento de que se ha producido una violación de datos personales, debe notificarlo sin dilación indebida a la autoridad de control y, cuando sea factible, en el plazo de 72 horas después de haberlo sabido, a menos que el responsable del tratamiento pueda demostrar, de conformidad con el principio de rendición de cuentas, que es improbable que dicha violación entrañe un riesgo para los derechos y las libertades de las personas físicas. Cuando no sea posible efectuar la notificación en el plazo de 72 horas, esta debe acompañarse de una indicación de los motivos de la dilación, pudiendo facilitarse la información por fases sin más dilaciones indebidas.

(62) Se debe informar a las personas físicas sin dilación indebida en el supuesto de que sea probable que la violación de la seguridad de datos personales entrañe un alto riesgo para sus derechos y libertades, a fin de que puedan adoptar las precauciones necesarias. La comunicación debe describir la naturaleza de la violación de la seguridad de datos personales e incluir recomendaciones para que la persona física afectada mitigue los posibles efectos adversos. Las comunicaciones a los interesados deben realizarse tan pronto como sea razonablemente posible, en estrecha cooperación con la autoridad de control y siguien-

do sus directrices o las establecidas por otras autoridades competentes. Así, por ejemplo, la necesidad de mitigar un riesgo inmediato de perjuicio habría que comunicarla a los interesados de forma inmediata, mientras que la necesidad de aplicar medidas adecuadas para impedir que se sigan violando los datos o se produzcan violaciones de la seguridad de datos similares puede justificar más tiempo para la comunicación. Cuando el hecho de retrasar o restringir la comunicación de una violación de la seguridad de datos personales a la persona física afectada no sea suficiente para evitar que se obstaculicen indagaciones, investigaciones o procedimientos oficiales o judiciales, evitar que se cause perjuicio a la prevención, detección, investigación o enjuiciamiento de infracciones penales o a la ejecución de sanciones penales, proteger la seguridad pública o la seguridad nacional o proteger los derechos y libertades de otras personas, dicha comunicación, en circunstancias excepcionales, podrá omitirse.

(63) El responsable del tratamiento designará a una persona para que le asista en la supervisión del cumplimiento interno de las disposiciones adoptadas en virtud de la presente Directiva, salvo en los casos en los que un Estado miembro decida eximir a los órganos jurisdiccionales y demás autoridades judiciales independientes cuando actúen en el ejercicio de su función jurisdiccional. Dicha persona podrá ser un empleado que ya trabaje para el responsable del tratamiento y que haya recibido una formación especial sobre la legislación y las prácticas de protección de datos, con el fin de adquirir conocimientos especializados en este ámbito. El nivel de conocimientos especializados necesario se debe determinar, en particular, en función del tratamiento de datos que se lleve a cabo y de la protección exigida para los datos personales tratados por el responsable del tratamiento. Podrá desempeñar sus funciones a tiempo completo o a tiempo parcial. Varios responsables del tratamiento podrán nombrar conjuntamente a un mismo delegado de protección de datos teniendo en cuenta su estructura organizativa y tamaño, como, por ejemplo, en el caso de que

compartan recursos en unidades centralizadas. Dicha persona también podrá ser designada para ocupar otros cargos dentro de la estructura organizativa de los responsables del tratamiento en cuestión. Debe prestar ayuda al responsable del tratamiento y a los empleados que lleven a cabo el tratamiento de datos personales facilitándoles información y asesoramiento sobre el cumplimiento de las obligaciones que les correspondan en materia de protección de datos. Tales delegados de protección de datos deben estar en condiciones de desempeñar sus deberes y funciones con independencia y de conformidad con el Derecho del Estado miembro.

(64) Los Estados miembros deben velar por que las transferencias de datos a terceros países o a organizaciones internacionales solo se lleven a cabo si resultan necesarias para la prevención, investigación, detección o enjuiciamiento de infracciones penales o la ejecución de sanciones penales, incluidas la protección y la prevención frente a las amenazas para la seguridad pública, y si el responsable del tratamiento en el tercer país u organización internacional de que se trate es una autoridad competente en el sentido de lo dispuesto en la presente Directiva. Las transferencias de datos solo pueden llevarlas a cabo las autoridades competentes cuando actúen en calidad de responsables del tratamiento, salvo que los encargados del tratamiento hayan recibido instrucciones expresas de llevar a cabo la transferencia en nombre de los responsables del tratamiento. Dichas transferencias pueden tener lugar en los casos en que la Comisión haya decidido que el tercer país o la organización internacional en cuestión garantizan un nivel adecuado de protección, o cuando se hayan ofrecido unas garantías apropiadas o se apliquen excepciones para situaciones específicas. Cuando los datos personales sean transferidos desde la Unión a responsables y encargados del tratamiento u otros destinatarios de terceros países u organizaciones internacionales, no debe verse menoscabado el nivel de protección de las personas físicas que se garantiza en la Unión mediante la presente Directiva, ni tampoco en las transferencias ulteriores de

datos personales desde el tercer país u organización internacional a responsables y encargados del tratamiento del mismo u otro tercer país u organización internacional.

(65) Cuando los datos personales se transfieran de un Estado miembro a terceros países u organizaciones internacionales, dicha transferencia solo debe realizarse, en principio, después de que el Estado miembro del que se obtuvieron los datos haya autorizado la transferencia. A los efectos de una cooperación eficaz en materia policial, es necesario que, cuando la naturaleza de una amenaza para la seguridad pública de un Estado miembro o de un tercer país o para los intereses fundamentales de un Estado miembro sea tan inmediata como para que resulte imposible conseguir la autorización previa a tiempo, la autoridad competente debe poder transferir los datos personales de que se trate al tercer país u organización internacional correspondiente sin dicha autorización previa. Los Estados miembros deben disponer que se comuniquen al tercer país y/o a la organización internacional que corresponda todas las condiciones específicas aplicables a la transferencia. Toda transferencia ulterior de datos personales estará supeditada a la autorización previa de la autoridad competente que llevó a cabo la transferencia inicial. Al decidir si autorizar dicha transferencia ulterior de los datos, la autoridad competente que llevó a cabo la transferencia inicial debe tener debidamente en cuenta todos los factores pertinentes, entre los que se incluye la gravedad de la infracción penal, las condiciones específicas de la transferencia y la finalidad para la que se transfirieron los datos en primera instancia, la naturaleza y las condiciones de ejecución de la sanción penal y el nivel de protección de datos personales existente en el tercer país o la organización internacional a los que se van a transferir los datos. La autoridad competente que llevó a cabo la transferencia inicial también podrá supeditar la transferencia ulterior de los datos a condiciones específicas. Dichas condiciones específicas se pueden describir, por ejemplo, mediante el empleo de códigos de tratamiento.

(66) La Comisión debe poder decidir, con efectos para toda la Unión, que determinados terceros países, o un territorio, o uno o más sectores específicos de un tercer país, o una organización internacional ofrecen un nivel adecuado de protección de datos, proporcionando así seguridad jurídica y uniformidad en toda la Unión en lo que se refiere a los terceros países u organizaciones internacionales que se considera ofrecen tal nivel de protección. En estos casos, se podrán efectuar transferencias de datos personales a tales países sin necesidad de obtener una autorización específica, salvo que otro Estado miembro, del que se hayan obtenido los datos, tenga que autorizar la transferencia.

(67) En consonancia con los valores fundamentales en los que se basa la Unión, en particular la protección de los derechos humanos, la Comisión, en su evaluación de un tercer país, de un territorio, o de un sector específico de un tercer país, debe tener en cuenta la medida en que dicho tercer país respeta el Estado de Derecho, el acceso a la justicia y las normas y principios internacionales en materia de derechos humanos, y su Derecho tanto general como sectorial, incluida la legislación relativa a la seguridad pública, la defensa y la seguridad nacional, así como el Derecho penal y el orden público. En la adopción de una decisión de adecuación en relación con un territorio o un sector específico de un tercer país, se deben tener en cuenta criterios claros y objetivos, como las actividades de tratamiento concretas y el ámbito de aplicación de las normas jurídicas y la legislación vigentes en el tercer país. El tercer país en cuestión debe ofrecer garantías que aseguren un nivel de protección adecuado que sea esencialmente equivalente al garantizado en el interior de la Unión, en particular cuando los datos se sometan a tratamiento en uno o varios sectores específicos. En particular, el tercer país debe garantizar la supervisión eficaz e independiente de la protección de datos y establecer mecanismos de cooperación con las autoridades de protección de datos de los Estados miembros, y ofrecer a los interesados derechos efectivos y exigibles, así como un derecho a la tutela administrativa y judicial efectiva.

(68) Aparte de los compromisos internacionales adquiridos por el tercer país u organización internacional, la Comisión también debe tener en cuenta las obligaciones resultantes de la participación del tercer país u organización internacional en sistemas multilaterales o regionales, en particular en relación con la protección de los datos personales, y el cumplimiento de las citadas obligaciones. En particular, debería tenerse en cuenta la adhesión del país al Convenio del Consejo de Europa, de 28 de enero de 1981, para la protección de las personas con respecto al tratamiento automatizado de datos personales y su Protocolo adicional. La Comisión debe consultar al Comité Europeo de Protección de Datos establecido por el Reglamento (UE) 2016/679 al evaluar el nivel de protección existente en terceros países u organizaciones internacionales. La Comisión también debe tener en cuenta las decisiones de adecuación que haya adoptado de conformidad con el artículo 45 del Reglamento (UE) 2016/679.

(69) La Comisión debe supervisar el funcionamiento de las decisiones relativas al nivel de protección de un tercer país, territorio o sector específico de un tercer país, o de una organización internacional. En sus decisiones de adecuación, la Comisión debe establecer un mecanismo para la revisión periódica de su funcionamiento. Esta revisión periódica debe realizarse en colaboración con el tercer país u organización internacional de que se trate y debe tener en cuenta todas las novedades pertinentes que se produzcan en dicho tercer país u organización internacional.

(70) La Comisión también debe poder determinar que un tercer país, un territorio, un sector específico de un tercer país o una organización internacional han dejado de garantizar un nivel adecuado de protección de datos. En tal caso, debe prohibirse la transferencia de datos personales a dicho tercer país u organización internacional, salvo que se cumplan los requisitos de la presente Directiva relativos a las transferencias sujetas a garantías y excepciones adecuadas para situaciones particulares. Deben establecerse los procedimientos para la

celebración de consultas entre la Comisión y dichos terceros países u organizaciones internacionales. La Comisión debe informar oportunamente al tercer país u organización internacional de las razones de la situación y entablar consultas a fin de subsanarla.

(71) Las transferencias no basadas en tales decisiones de adecuación solo deben permitirse cuando se hayan ofrecido las garantías adecuadas en un instrumento jurídicamente vinculante que aseguren la protección de los datos personales o cuando el responsable del tratamiento haya evaluado todas las circunstancias de la transferencia de datos y, sobre la base de tal evaluación, considere que se dan las garantías adecuadas con respecto a la protección de los datos personales. Tales instrumentos jurídicamente vinculantes podrían ser, por ejemplo, acuerdos bilaterales jurídicamente vinculantes celebrados por los Estados miembros y aplicados en su ordenamiento jurídico y cuyo cumplimiento pueda ser exigido por los interesados de dichos Estados, de forma que se garantice el cumplimiento de los requisitos de protección de datos y el respeto de los derechos de los interesados, entre los que se incluye el derecho a la tutela administrativa o judicial efectiva. El responsable del tratamiento puede tener en cuenta los acuerdos de cooperación celebrados entre Europol o Eurojust y terceros países que permitan el intercambio de datos personales al llevar a cabo la evaluación de todas las circunstancias que concurran en la transferencia de datos. El responsable del tratamiento también puede tener en cuenta si la transferencia de datos va a estar sujeta a obligaciones de confidencialidad y al principio de especificidad, que garantiza que los datos no se tratarán para fines distintos de aquellos para los que se han transferido. Además, el responsable del tratamiento debe verificar que los datos personales no vayan a ser utilizados para solicitar, dictar o ejecutar la pena capital u otra forma de trato cruel o inhumano. Aunque estas condiciones puedan considerarse protecciones adecuadas que permitan la trasferencia de los datos, el responsable del tratamiento podrá exigir salvaguardias adicionales.

(72) De no existir ni una decisión de adecuación ni unas garantías adecuadas, únicamente podrá realizarse una transferencia de datos o una categoría de transferencias de datos en situaciones específicas, y si fuera necesario, a fin de proteger los intereses vitales del interesado o de otra persona, o de proteger los intereses legítimos del interesado cuando así lo disponga la legislación del Estado miembro que transfiere los datos personales, para prevenir una amenaza inmediata y grave para la seguridad pública de un Estado miembro o de un tercer país, en un caso concreto a efectos de prevención, investigación, detección o enjuiciamiento de infracciones penales o de ejecución de sanciones penales, incluidas la protección y la prevención frente a amenazas para la seguridad pública, o en un caso concreto para el reconocimiento, el ejercicio o la defensa de una pretensión jurídica. Dichas excepciones se deben interpretar de forma restrictiva y no permitir la transferencia frecuente, en masa y estructural de datos personales ni la transferencia de datos a gran escala, sino limitarse a los datos estrictamente necesarios. Tales transferencias deben documentarse y ponerse a disposición de la autoridad de supervisión cuando así lo solicite, a fin de supervisar la licitud de las transferencias.

(73) Las autoridades competentes de los Estados miembros están aplicando acuerdos internacionales vigentes, de carácter bilateral o multilateral, celebrados con terceros países en los ámbitos de la cooperación judicial en materia penal y de la cooperación policial para el intercambio de información de interés que les permita desempeñar las funciones que les encomienda la ley. En principio, estos intercambios se realizan a través de las autoridades correspondientes de los terceros países en cuestión a efectos de la presente Directiva, o al menos con su cooperación, en ocasiones incluso sin que exista un acuerdo internacional bilateral o multilateral. Sin embargo, en determinados casos particulares, los procedimientos habituales que exigen contactar con la autoridad del tercer país en cuestión pueden ser ineficaces o inadecuados, en particular por no permitir efectuar la transferencia de

forma oportuna, o porque dicha autoridad del tercer país no respete el Estado de Derecho o las normas y principios internacionales en materia de derechos humanos, en cuyo caso las autoridades competentes de los Estados miembros pueden decidir transferir los datos personales directamente a destinatarios establecidos en terceros países. Este caso puede darse cuando haya una necesidad urgente de transferir datos personales para salvar la vida de una persona que esté en peligro de ser víctima de una infracción penal o para prevenir la comisión inminente de un delito, en particular, de terrorismo. Aunque dicho tipo de transferencias de datos entre autoridades competentes y destinatarios establecidos en terceros países solo debe producirse en casos concretos y específicos, la presente Directiva debe prever condiciones para la reglamentación de tales casos. Esas disposiciones no deben considerarse excepciones a ningún acuerdo internacional existente, ya sea bilateral o multilateral, en los ámbitos de la cooperación judicial en materia penal y de la cooperación policial. Dichas normas deben aplicarse además de las demás normas de la presente Directiva, en particular las relativas a la licitud del tratamiento y las del capítulo V.

(74) Cuando los datos personales circulan a través de las fronteras, se puede poner en mayor riesgo la capacidad de las personas físicas para ejercer sus derechos de protección de datos con el fin de protegerse contra la utilización o comunicación ilícitas de dichos datos. Al mismo tiempo, es posible que las autoridades de control se vean en la imposibilidad de tramitar reclamaciones o realizar investigaciones relativas a actividades realizadas fuera de sus fronteras. Sus esfuerzos por colaborar en el ámbito transfronterizo también pueden verse obstaculizados por la insuficiencia de las facultades preventivas o correctivas o la incoherencia de los ordenamientos jurídicos. Por tanto, es necesario fomentar una cooperación más estrecha entre las autoridades de control de la protección de datos a fin de contribuir al intercambio de información con sus homólogos extranjeros.

(75) La creación en los Estados miembros de autoridades de control que ejerzan sus funciones con plena independencia constituye un elemento esencial de la protección de las personas físicas en lo que respecta al tratamiento de datos personales. Las autoridades de control deben supervisar la aplicación de las disposiciones adoptadas en aplicación de la presente Directiva y deben contribuir a su aplicación coherente en toda la Unión, con el fin de proteger a las personas físicas en relación con el tratamiento de sus datos personales. Para ello, las autoridades de control deben cooperar entre sí y con la Comisión.

(76) Los Estados miembros pueden confiar a una autoridad de control que ya haya sido creada de conformidad con el Reglamento (UE) 2016/679 la responsabilidad correspondiente a las funciones que hayan de desempeñar las autoridades nacionales de control que se creen con arreglo a lo dispuesto en la presente Directiva.

(77) Se debe autorizar a los Estados miembros a crear más de una autoridad de control con objeto de reflejar su estructura constitucional, organizativa y administrativa. Todas las autoridades de control deben estar dotadas de los recursos financieros y humanos, los locales y las infraestructuras que sean necesarios para la realización eficaz de sus funciones, en particular las relacionadas con la asistencia recíproca y la cooperación con otras autoridades de control de la Unión. Cada autoridad de control debe disponer de un presupuesto anual público independiente, que podrá formar parte del presupuesto general estatal o nacional.

(78) Las autoridades de control deben estar sujetas a mecanismos de control o supervisión independientes en relación con sus gastos financieros, siempre que este control financiero no afecte a su independencia.

(79) Las condiciones generales aplicables al miembro o miembros de la autoridad de control deben establecerse en el Derecho del Estado miembro, y disponer, entre otras cosas, que dichos miembros sean nombrados por el Parlamento, o el Gobierno o el jefe de Estado del

Estado miembro, a partir de una propuesta del Gobierno o de un miembro del Gobierno, o del Parlamento o su Cámara, o por un organismo independiente al que el Derecho del Estado miembro encomiende el nombramiento mediante un procedimiento transparente. Con el fin de garantizar la independencia de la autoridad de control, sus miembros deben actuar con integridad, abstenerse de cualquier acción que sea incompatible con sus funciones y no deben participar, mientras dure su mandato, en ninguna actividad profesional incompatible, sea o no remunerada. Con el fin de garantizar la independencia de la autoridad de control, el personal ha de ser seleccionado por la autoridad de control, lo que podrá incluir la intervención de un organismo independiente encomendado por el Derecho del Estado miembro.

(80) Aunque la presente Directiva también se aplica a las actividades de los órganos jurisdiccionales nacionales y otras autoridades judiciales, la competencia de las autoridades de control no debe abarcar el tratamiento de datos personales cuando los órganos jurisdiccionales actúen en ejercicio de su función jurisdiccional, con el fin de garantizar la independencia de los jueces en el desempeño de sus funciones. Esta excepción debe limitarse a actividades judiciales en juicios y no debe aplicarse a otras actividades en las que puedan estar implicados los jueces, de conformidad con el Derecho del Estado miembro. Los Estados miembros pueden disponer también que la competencia de la autoridad de control no abarque el tratamiento de datos personales realizado por otras autoridades judiciales independientes en el ejercicio de su función jurisdiccional, por ejemplo la fiscalía. En todo caso, el cumplimiento de las normas de la presente Directiva por los órganos jurisdiccionales y otras autoridades judiciales independientes debe estar sujeto siempre a una supervisión independiente de conformidad con el artículo 8, apartado 3, de la Carta.

(81) Cada autoridad de control debe atender a las reclamaciones presentadas por cualquier interesado y debe investigar el asunto o transmitirlo a la autoridad de control competente. La investigación

a raíz de una reclamación debe llevarse a cabo, bajo control jurisdiccional, en la medida en que sea adecuada en el caso específico. La autoridad de control debe informar al interesado de la evolución y el resultado de la reclamación en un plazo razonable. Si el caso requiere una mayor investigación o coordinación con otra autoridad de control, se debe facilitar información intermedia al interesado.

(82) Para garantizar una supervisión del cumplimiento y una ejecución eficaces, fiables y coherentes de la presente Directiva en toda la Unión con arreglo al TFUE a tenor de la interpretación del Tribunal de Justicia, las autoridades de control deben tener en cada Estado miembro las mismas funciones y los mismos poderes efectivos, incluidos los poderes de investigación, los poderes de corrección y los poderes consultivos que constituyan los medios necesarios para el desempeño de sus funciones. Sin embargo, sus competencias no deben afectar a las normas específicas previstas para los procesos penales, incluidos la investigación y el enjuiciamiento de infracciones penales, ni a la independencia del poder judicial. Sin perjuicio de las atribuciones del ministerio fiscal con arreglo al Derecho del Estado miembro, las autoridades de control deben tener también competencia para poner en conocimiento de las autoridades judiciales las infracciones de la presente Directiva y/o capacidad para litigar. Los poderes de las autoridades de control deben ejercerse de conformidad con las garantías procesales adecuadas establecidas en el Derecho de la Unión y de los Estados miembros, de forma imparcial y justa y en un plazo razonable. En particular, toda medida debe ser adecuada, necesaria y proporcionada con vistas a garantizar el cumplimiento de la presente Directiva, teniendo en cuenta las circunstancias de cada caso concreto, respetar el derecho de todas las personas a ser oídas antes de que se adopte cualquier medida que les afecte negativamente y evitar costes superfluos y molestias excesivas para las personas afectadas. Los poderes de investigación en lo que se refiere al acceso a instalaciones deben ejercerse de conformidad con los requisitos específicos del Derecho del

Estado miembro, como el de obtener una autorización judicial previa. Las decisiones jurídicamente vinculantes que se adopten deben estar sujetas a control jurisdiccional en el Estado miembro de la autoridad de control que haya adoptado la decisión.

(83) Las autoridades de control deben ayudarse en el desempeño de sus funciones y facilitarse ayuda mutua, con el fin de garantizar la aplicación y ejecución coherentes de las disposiciones adoptadas con arreglo a la presente Directiva.

(84) El Comité Europeo de Protección de Datos debe contribuir a la aplicación coherente de la presente Directiva en el conjunto de la Unión, entre otras cosas asesorando a la Comisión y fomentando la cooperación de las autoridades de control en toda la Unión.

(85) Todo interesado debe tener derecho a presentar una reclamación ante una única autoridad de control y a presentar un recurso judicial efectivo de conformidad con el artículo 47 de la Carta si considera que se vulneran sus derechos según las disposiciones adoptadas en virtud de la presente Directiva o en caso de que la autoridad de control no reaccione ante una reclamación, rechace o desestime total o parcialmente una reclamación o no actúe cuando su actuación sea necesaria para proteger los derechos del interesado. La investigación a raíz de una reclamación debe llevarse a cabo, bajo control jurisdiccional, en la medida en que sea adecuada en el caso específico. La autoridad de control competente debe informar al interesado de la evolución y el resultado de la reclamación en un plazo razonable. Si el caso requiere una mayor investigación o coordinación con otra autoridad de control, se debe facilitar información intermedia al interesado. Para facilitar la presentación de reclamaciones, cada autoridad de control debe adoptar medidas como ofrecer un formulario de reclamaciones que pueda cumplimentarse también por vía electrónica, sin excluir otros medios de comunicación.

(86) Toda persona física o jurídica debe tener derecho a presentar un recurso judicial efectivo ante el órgano jurisdiccional nacional

competente contra las decisiones de una autoridad de control que produzcan efectos jurídicos que le conciernan. Tales decisiones se refieren en particular al ejercicio de los poderes de investigación, corrección y autorización por parte de la autoridad de control o a la desestimación o rechazo de las reclamaciones. No obstante, este derecho no incluye otras medidas de las autoridades de control que no sean jurídicamente vinculantes, como los dictámenes publicados o el asesoramiento facilitado por la autoridad de control. Las acciones legales contra una autoridad de control deben ejercerse ante los órganos jurisdiccionales del Estado miembro en el que esté establecida la autoridad de control y conducirse con arreglo al Derecho del Estado miembro. Esos órganos jurisdiccionales deben ejercer la plena jurisdicción, que debe incluir la jurisdicción para examinar todas las circunstancias de hecho y de Derecho relativas al litigio en el que entiendan.

(87) Cuando el interesado considere que se conculcan sus derechos reconocidos en la presente Directiva, tendrá derecho a dar mandato a una entidad que tenga por objeto proteger los derechos e intereses de los interesados en relación con la protección de sus datos personales y esté constituida con arreglo al Derecho del Estado miembro, para que presente, en su nombre, una reclamación ante la autoridad de control y ejerza el derecho al recurso judicial. El derecho a representación de los interesados será sin perjuicio del Derecho procesal del Estado miembro que pueda requerir una representación obligatoria de los interesados por parte de un abogado, como se define en la Directiva 77/249/CEE del Consejo[12], ante los tribunales nacionales.

(88) Cualquier perjuicio que pueda sufrir una persona como consecuencia de un tratamiento que infrinja disposiciones adoptadas en virtud de la presente Directiva debe ser compensado por el responsable

---

[12] Directiva 77/249/CEE del Consejo, de 22 de marzo de 1977, dirigida a facilitar el ejercicio efectivo de la libre prestación de servicios por los abogados (DO L 78 de 26.3.1977, p. 17).

o cualquier otra autoridad competente en virtud del Derecho del Estado miembro. El concepto de perjuicio debe interpretarse en sentido amplio a la luz de la jurisprudencia del Tribunal de Justicia y de tal modo que refleje plenamente los objetivos de la presente Directiva. Lo anterior se entiende sin perjuicio de cualquier reclamación por daños y perjuicios derivada de la vulneración de otras normas del Derecho de la Unión o de los Estados miembros. Las referencias a operaciones de tratamiento ilícitas o que incumplan las disposiciones adoptadas en virtud de la presente Directiva abarcan asimismo las operaciones de tratamiento que incumplan actos de ejecución adoptados en virtud de la presente Directiva. Los interesados deben recibir una compensación total y efectiva por el perjuicio sufrido.

(89) Deben imponerse sanciones a toda persona física o jurídica, ya sean de Derecho público o privado, que no cumpla la presente Directiva. Los Estados miembros deben asegurarse de que las sanciones sean efectivas, proporcionadas y disuasorias y deben tomar todas las medidas para su aplicación.

(90) Con el fin de garantizar unas condiciones uniformes para la aplicación de la presente Directiva, se deben conferir competencias de ejecución a la Comisión con objeto de especificar: el nivel adecuado de protección que ofrece un tercer país, un territorio o un sector especificado en dicho tercer país o una organización internacional; el formato y los procedimientos de asistencia mutua y a las disposiciones aplicables al intercambio electrónico de información entre las autoridades de control, y entre estas y el Comité Europeo de Protección de Datos. Dichas competencias deben ejercerse de conformidad con el Reglamento (UE) n.º 182/2011 del Parlamento Europeo y del Consejo[13].

---

[13]   Reglamento (UE) n.º 182/2011 del Parlamento Europeo y del Consejo, de 16 de febrero de 2011, por el que se establecen las normas y los principios generales relativos a las modalidades de control por parte de los Estados miembros del ejercicio de las competencias de ejecución por la Comisión (DO L 55 de 28.2.2011, p. 13).

(91) Debe emplearse el procedimiento de examen para la adopción de actos de ejecución sobre el nivel adecuado de protección que ofrece un tercer país, un territorio o un sector especificado en dicho tercer país o una organización internacional así como sobre el formato y los procedimientos de asistencia mutua y las disposiciones aplicables al intercambio electrónico de información entre las autoridades de control, y entre estas y el Comité Europeo de Protección de Datos, dado que dichos actos son de alcance general.

(92) La Comisión debe adoptar actos de ejecución inmediatamente aplicables cuando así lo requieran razones perentorias, en casos debidamente justificados relacionados con un tercer país, un territorio o un sector específico en ese tercer país, o una organización internacional que ya no garanticen un nivel de protección adecuado.

(93) Dado que los objetivos de la presente Directiva, a saber, proteger los derechos y libertades fundamentales de las personas físicas y, en particular, su derecho a la protección de los datos personales y garantizar el libre intercambio de datos personales por parte de las autoridades competentes en la Unión, no pueden ser alcanzados de manera suficiente por los Estados miembros, sino que, debido a la dimensión o los efectos de la acción, pueden lograrse mejor a escala de la Unión, esta puede adoptar medidas, de acuerdo con el principio de subsidiariedad establecido en el artículo 5 del TUE. De conformidad con el principio de proporcionalidad establecido en el mismo artículo, la presente Directiva no excede de lo necesario para alcanzar dichos objetivos.

(94) No deben verse afectadas las disposiciones específicas de actos de la Unión adoptados antes de la fecha de adopción de la presente Directiva en el ámbito de la cooperación judicial en materia penal o de la cooperación policial que regulen el tratamiento de los datos personales entre los Estados miembros o el acceso de las autoridades designadas de los Estados miembros a los sistemas de información establecidos con arreglo a lo dispuesto en los Tratados, como por ejem-

plo las disposiciones específicas relativas a la protección de los datos personales que se aplican en virtud de la Decisión 2008/615/JAI del Consejo[14], o el artículo 23 del Convenio relativo a la asistencia judicial en materia penal entre los Estados miembros de la Unión Europea[15]. Dado que el artículo 8 de la Carta y el artículo 16 del TFUE conllevan que el derecho fundamental a la protección de los datos personales debe estar garantizado de manera coherente y homogénea en toda la Unión, la Comisión debe evaluar la situación con respecto a la relación entre la presente Directiva y los actos adoptados con anterioridad a su fecha de adopción que regulan el tratamiento de los datos personales entre los Estados miembros o el acceso de las autoridades designadas de los Estados miembros a los sistemas de información establecidos con arreglo a lo dispuesto en los Tratados, a fin de evaluar la necesidad de adaptar estas disposiciones específicas a la presente Directiva. Cuando corresponda, la Comisión debe presentar propuestas encaminadas a garantizar normas jurídicas coherentes en relación con el tratamiento de los datos personales.

(95) Con el fin de garantizar una protección amplia y coherente de los datos personales en la Unión, los acuerdos internacionales celebrados por los Estados miembros con anterioridad a la fecha de entrada en vigor de la presente Directiva y que respeten el Derecho correspondiente de la Unión aplicable antes de dicha fecha deben seguir en vigor hasta que sean modificados, sustituidos o revocados.

(96) Los Estados miembros deben poder contar con un plazo de no más de dos años desde la entrada en vigor de la presente Directiva

---

[14]   Decisión 2008/615/JAI del Consejo, de 23 de junio de 2008, sobre la profundización de la cooperación transfronteriza, en particular en materia de lucha contra el terrorismo y la delincuencia transfronteriza (DO L 210 de 6.8.2008, p. 1).

[15]   Acto del Consejo, de 29 de mayo de 2000, por el que se celebra, de conformidad con el artículo 34 del Tratado de la Unión Europea, el Convenio relativo a la asistencia judicial en materia penal entre los Estados miembros de la Unión Europea (DO C 197 de 12.7.2000, p. 1).

para incorporarla a su Derecho nacional. Todo tratamiento ya iniciado en dicha fecha debe adaptarse a lo establecido en la presente Directiva en un plazo de dos años a partir de la entrada en vigor de la presente Directiva. No obstante, si dicho tratamiento cumple el Derecho de la Unión aplicable antes de la fecha de entrada en vigor de la presente Directiva, los requisitos de la presente Directiva relativos a la consulta previa a la autoridad de control no deben aplicarse a las operaciones de tratamiento ya iniciadas antes de la mencionada fecha, dado que estos requisitos, por su propia naturaleza, han cumplirse antes del tratamiento. Cuando los Estados miembros se acojan al plazo de aplicación más largo que caduca siete años después de la fecha de entrada en vigor de la presente Directiva para cumplir las obligaciones de registro aplicables a los sistemas de tratamiento automatizados establecidos con anterioridad a dicha fecha, el responsable o encargado del tratamiento deben contar con métodos eficaces de demostrar la legalidad del tratamiento de datos, de permitir el autocontrol y de asegurar la integridad y la seguridad de los datos, como las anotaciones en un registro diario.

(97) La presente Directiva se entiende sin perjuicio de las normas relativas a la lucha contra los abusos sexuales, la explotación sexual de los menores, y la pornografía infantil, tal como se establecen en la Directiva 2011/93/UE del Parlamento Europeo y del Consejo[16].

(98) Por consiguiente, la Decisión Marco 2008/977/JAI debe ser derogada en consecuencia.

(99) De conformidad con el artículo 6 bis del Protocolo n.º 21 sobre la posición del Reino Unido y de Irlanda respecto del espacio de libertad, seguridad y justicia, anejo al TUE y al TFUE, no son vinculantes para el Reino Unido e Irlanda las normas establecidas en la presente

---

[16] Directiva 2011/93/UE del Parlamento Europeo y del Consejo, de 13 de diciembre de 2011, relativa a la lucha contra los abusos sexuales y la explotación sexual de los menores y la pornografía infantil y por la que se sustituye la Decisión marco 2004/68/JAI del Consejo (DO L 335 de 17.12.2011, p. 1).

Directiva relativas a tratamiento de datos personales por parte de los Estados miembros en el ejercicio de las actividades comprendidas en el ámbito de aplicación del capítulo 4 o el capítulo 5 del título V de la tercera parte del TFUE en la medida en que no sean vinculantes para estos Estados las normas de la Unión que regulen formas de cooperación judicial en materia penal y de cooperación policial en cuyo marco deban respetarse las disposiciones establecidas sobre la base del artículo 16 del TFUE.

(100) De conformidad con lo dispuesto en los artículos 2 y 2 bis del Protocolo n.º 22 sobre la posición de Dinamarca, anejo al TUE y al TFUE, Dinamarca no queda obligada por las normas establecidas en la presente Directiva que se relacionen con el tratamiento de datos personales por parte de los Estados miembros en el ejercicio de las actividades comprendidas en el ámbito de aplicación del capítulo 4 o el capítulo 5 del título V de la tercera parte del TFUE, ni está sujeta a su aplicación. Dado que la presente Directiva desarrolla el acervo de Schengen en el marco de las disposiciones del título V de la tercera parte del TFUE, de conformidad con el artículo 4 del mencionado Protocolo, Dinamarca debe decidir, en un plazo de seis meses a partir de la adopción de la presente Directiva, si lo incorpora a su legislación nacional.

(101) Por lo que se refiere a Islandia y Noruega, la presente Directiva constituye un desarrollo de las disposiciones del acervo de Schengen, como se establece en el Acuerdo celebrado por el Consejo de la Unión Europea con la República de Islandia y el Reino de Noruega sobre la asociación de estos dos Estados a la ejecución, aplicación y desarrollo del acervo de Schengen[17].

(102) Por lo que respecta a Suiza, la presente Directiva constituye un desarrollo de las disposiciones del acervo de Schengen, como se establece en el Acuerdo entre la Unión Europea, la Comunidad Europea

---

[17]   DO L 176 de 10.7.1999, p. 36.

y la Confederación Suiza sobre la asociación de la Confederación Suiza a la ejecución, aplicación y desarrollo del acervo de Schengen[18].

(103) Por lo que respecta a Liechtenstein, la presente Directiva constituye un desarrollo de las disposiciones del acervo de Schengen, como se establece en el Protocolo entre la Unión Europea, la Comunidad Europea, la Confederación Suiza y el Principado de Liechtenstein sobre la adhesión del Principado de Liechtenstein al Acuerdo entre la Unión Europea, la Comunidad Europea y la Confederación Suiza sobre la asociación de la Confederación Suiza a la ejecución, aplicación y desarrollo del acervo de Schengen[19].

(104) La presente Directiva respeta los derechos fundamentales y observa los principios reconocidos en la Carta, consagrados en el TFUE, en particular el derecho al respeto de la vida privada y familiar, el derecho a la protección de los datos personales y el derecho a la tutela judicial efectiva y a un juez imparcial. Las limitaciones aplicadas a estos derechos son conformes al artículo 52, apartado 1, de la Carta ya que son necesarias para alcanzar objetivos de interés general reconocidos por la Unión o responden a la necesidad de proteger los derechos y libertades de terceros.

(105) De conformidad con la Declaración política conjunta, de 28 de septiembre de 2011, de los Estados miembros y de la Comisión sobre los documentos explicativos, en casos justificados, los Estados miembros se comprometen a adjuntar a la notificación de las medidas de transposición uno o varios documentos que expliquen la relación entre los componentes de una directiva y las partes correspondientes de las medidas nacionales de transposición. Tratándose de la presente Directiva, el legislador considera justificada la transmisión de dichos documentos.

---

[18]   DO L 53 de 27.2.2008, p. 52.
[19]   DO L 160 de 18.6.2011, p. 21.

(106) El Supervisor Europeo de Protección de Datos ha sido consultado de conformidad con el artículo 28, apartado 2, del Reglamento (CE) n.º 45/2001 y emitió un dictamen el 7 de marzo de 2012[20].

(107) La presente Directiva no debe impedir que los Estados miembros regulen el ejercicio de los derechos de los interesados en materia de información, acceso a los datos personales, rectificación o supresión de estos y limitación de su tratamiento en el marco de un proceso penal, y las posibles restricciones de tales derechos, mediante el Derecho procesal penal nacional.

HAN ADOPTADO LA PRESENTE DIRECTIVA:

CAPÍTULO I. Disposiciones generales

Artículo 1. *Objeto y objetivos*

1. La presente Directiva establece las normas relativas a la protección de las personas físicas en lo que respecta al tratamiento de los datos personales por parte de las autoridades competentes, con fines de prevención, investigación, detección o enjuiciamiento de infracciones penales o de ejecución de sanciones penales, incluidas la protección y la prevención frente a las amenazas contra la seguridad pública.

2. De conformidad con la presente Directiva, los Estados miembros deberán:

a) proteger los derechos y libertades fundamentales de las personas físicas y, en particular, su derecho a la protección de los datos personales, y

b) garantizar que el intercambio de datos personales por parte de las autoridades competentes en el interior de la Unión, en caso de que el Derecho de la Unión o del Estado miembro exijan dicho intercambio, no quede restringido ni prohibido por motivos relacionados con la protección de las personas físicas en lo que respecta al tratamiento de datos personales.

---

[20]   DO C 192 de 30.6.2012, p. 7.

3. La presente Directiva no impedirá a los Estados miembros ofrecer mayores garantías que las que en ella se establecen para la protección de los derechos y libertades del interesado con respecto al tratamiento de datos personales por parte de las autoridades competentes.

Artículo 2. *Ámbito de aplicación*

1. La presente Directiva se aplica al tratamiento de datos personales por parte de las autoridades competentes a los fines establecidos en el artículo 1, apartado 1.

2. La presente Directiva se aplica al tratamiento total o parcialmente automatizado de datos personales, así como al tratamiento no automatizado de datos personales contenidos o destinados a ser incluidos en un fichero.

3. La presente Directiva no se aplica al tratamiento de datos personales:

a) en el ejercicio de una actividad no comprendida en el ámbito de aplicación del Derecho de la Unión;

b) por parte de las instituciones, órganos u organismos de la Unión.

Artículo 3. *Definiciones*

A efectos de la presente Directiva se entenderá por:

1) «datos personales»: toda información sobre una persona física identificada o identificable («el interesado»); se considerará persona física identificable a toda persona cuya identidad pueda determinarse, directa o indirectamente, en particular mediante un identificador, como por ejemplo un nombre, un número de identificación, unos datos de localización, un identificador en línea o uno o varios elementos propios de la identidad física, fisiológica, genética, psíquica, económica, cultural o social de dicha persona;

2) «tratamiento»: cualquier operación o conjunto de operaciones realizadas sobre datos personales o conjuntos de datos personales, ya sea por procedimientos automatizados o no, como la recogida, registro, organización, estructuración, conservación, adaptación o modifi-

cación, extracción, consulta, utilización, comunicación por transmisión, difusión o cualquier otra forma de habilitación de acceso, cotejo o interconexión, limitación, supresión o destrucción;

3) «limitación del tratamiento»: el marcado de los datos personales conservados con el fin de limitar su tratamiento en el futuro;

4) «elaboración de perfiles»: toda forma de tratamiento automatizado de datos personales consistente en utilizar datos personales para evaluar determinados aspectos personales de una persona física, en particular para analizar o predecir aspectos relativos al rendimiento profesional, situación económica, salud, preferencias personales, intereses, fiabilidad, comportamiento, ubicación o movimientos de dicha persona física;

5) «seudonimización»: el tratamiento de datos personales de manera tal que ya no puedan atribuirse a un interesado sin utilizar información adicional, siempre que dicha información adicional se mantenga por separado y esté sujeta a medidas técnicas y organizativas destinadas a garantizar que los datos personales no se atribuyan a una persona física identificada o identificable;

6) «fichero»: todo conjunto estructurado de datos personales, accesibles con arreglo a criterios determinados, ya sea centralizado, descentralizado o dispersado de forma funcional o geográfica;

7) «autoridad competente»:

a) toda autoridad pública competente para la prevención, investigación, detección o enjuiciamiento de infracciones penales o la ejecución de sanciones penales, incluidas la protección y prevención frente a amenazas para la seguridad pública, o

b) cualquier otro órgano o entidad a quien el Derecho del Estado miembro haya confiado el ejercicio de la autoridad pública y las competencias públicas a efectos de prevención, investigación, detección o enjuiciamiento de infracciones penales o ejecución de sanciones penales, incluidas la protección y prevención frente a amenazas para la seguridad pública;

8) «responsable del tratamiento» o «responsable»: la autoridad competente que sola o conjuntamente con otras determine los fines y medios del tratamiento de datos personales; en caso de que los fines y medios del tratamiento estén determinados por el Derecho de la Unión o del Estado miembro, el responsable del tratamiento o los criterios específicos para su nombramiento podrán ser fijados por el Derecho de la Unión o del Estado miembro;

9) «encargado del tratamiento» o «encargado»: la persona física o jurídica, autoridad pública, servicio u otro organismo que trate datos personales por cuenta del responsable del tratamiento;

10) «destinatario»: la persona física o jurídica, autoridad pública, servicio o cualquier otro organismo al que se comuniquen datos personales, se trate o no de un tercero. No obstante, no se considerará destinatarios las autoridades públicas que puedan recibir datos personales en el marco de una investigación concreta de conformidad con el Derecho de la Unión o del Estado miembro; el tratamiento de tales datos por las citadas autoridades públicas será conforme con las normas en materia de protección de datos aplicables a los fines del tratamiento;

11) «violación de la seguridad de los datos personales»: toda violación de la seguridad que ocasione la destrucción, pérdida o alteración accidental o ilícita, o la comunicación o acceso no autorizados a datos personales transmitidos, conservados o tratados de otra forma;

12) «datos genéticos»: datos personales relativos a las características genéticas heredadas o adquiridas de una persona física que proporcionen una información única sobre la fisiología o la salud de esa persona, obtenidos en particular del análisis de una muestra biológica de la persona física de que se trate;

13) «datos biométricos»: datos personales obtenidos a partir de un tratamiento técnico específico, relativos a las características físicas, fisiológicas o de conducta de una persona física que permitan o confirmen la identificación única de dicha persona, como imágenes faciales o datos dactiloscópicos;

14) «datos relativos a la salud»: datos personales relativos a la salud física o mental de una persona física, incluida la prestación de servicios de atención sanitaria, que revelen información sobre su estado de salud;

15) «autoridad de control»: una autoridad pública independiente establecida por un Estado miembro con arreglo a lo dispuesto en el artículo 41;

16) «organización internacional»: una organización internacional y sus entes subordinados de Derecho internacional público o cualquier otro organismo creado mediante un acuerdo entre dos o más países o en virtud de tal acuerdo.

CAPÍTULO II. Principios

Artículo 4. *Principios relativos al tratamiento de datos personales*

1. Los Estados miembros dispondrán que los datos personales sean:

a) tratados de manera lícita y leal;

b) recogidos con fines determinados, explícitos y legítimos, y no ser tratados de forma incompatible con esos fines;

c) adecuados, pertinentes y no excesivos en relación con los fines para los que son tratados;

d) exactos y, si fuera necesario, actualizados; se habrán de adoptar todas las medidas razonables para que se supriman o rectifiquen sin dilación los datos personales que sean inexactos con respecto a los fines para los que son tratados;

e) conservados de forma que permita identificar al interesado durante un período no superior al necesario para los fines para los que son tratados;

f) tratados de tal manera que se garantice una seguridad adecuada de los datos personales, incluida la protección contra el tratamiento no autorizado o ilícito y contra su pérdida, destrucción o daño accidentales, mediante la aplicación de medidas técnicas u organizativas adecuadas.

2. Se permitirá el tratamiento de los datos personales, por el mismo responsable o por otro, para fines establecidos en el artículo 1, apartado 1, distintos de aquel para el que se recojan en la medida en que:

a) el responsable del tratamiento esté autorizado a tratar dichos datos personales para dicho fin de conformidad con el Derecho de la Unión o del Estado miembro, y

b) el tratamiento sea necesario y proporcionado para ese otro fin de conformidad con el Derecho de la Unión o del Estado miembro.

3. El tratamiento por el mismo responsable o por otro podrá incluir el archivo en el interés público, el uso científico, estadístico o histórico para los fines establecidos en el artículo 1, apartado 1, con sujeción a las salvaguardias adecuadas para los derechos y libertades de los interesados.

4. El responsable del tratamiento será responsable y capaz de demostrar el cumplimiento de lo dispuesto en los apartados 1, 2 y 3.

Artículo 5. *Plazos de conservación y revisión*

Los Estados miembros dispondrán que se fijen plazos apropiados para la supresión de los datos personales o para una revisión periódica de la necesidad de conservación de los datos personales. Las normas de procedimiento garantizarán el cumplimiento de dichos plazos.

Artículo 6. *Distinción entre diferentes categorías de interesados*

Los Estados miembros dispondrán que el responsable del tratamiento, cuando corresponda y en la medida de lo posible, establezca una distinción clara entre los datos personales de las distintas categorías de interesados, tales como:

a) personas respecto de las cuales existan motivos fundados para presumir que han cometido o van a cometer una infracción penal;

b) personas condenadas por una infracción penal;

c) víctimas de una infracción penal o personas respecto de las cuales determinados hechos den lugar a pensar que puedan ser víctimas de una infracción penal, y

d) terceras partes involucradas en una infracción penal como, por ejemplo, personas que puedan ser citadas a testificar en investigaciones relacionadas con infracciones penales o procesos penales ulteriores, o personas que puedan facilitar información sobre infracciones penales, o personas de contacto o asociados de una de las personas mencionadas en las letras a) y b).

Artículo 7. *Distinción entre datos personales y verificación de la calidad de los datos personales*

1. Los Estados miembros dispondrán que los datos personales basados en hechos se distingan, en la medida de lo posible, de los datos personales basados en apreciaciones personales.

2. Los Estados miembros dispondrán que las autoridades competentes adopten todas las medidas razonables para garantizar que los datos personales que sean inexactos, incompletos o que no estén actualizados no se transmitan ni se pongan a disposición de terceros. Para ello, dicha autoridad competente, en la medida en que sea factible, controlará la calidad de los datos personales antes de transmitirlos o ponerlos a disposición de terceros. En la medida de lo posible, en todas las transmisiones de datos personales se añadirá la información necesaria para que la autoridad competente receptora pueda valorar en qué medida los datos personales son exactos, completos y fiables y en qué medida están actualizados.

3. Si se observara que se hubieran transmitido datos personales incorrectos o se hubieran transmitido ilegalmente, el hecho deberá ponerse en conocimiento del destinatario sin dilación. En tal caso, los datos personales deberán rectificarse o suprimirse, o el tratamiento deberá limitarse de conformidad con el artículo 16.

Artículo 8. *Licitud del tratamiento*

1. Los Estados miembros dispondrán que el tratamiento solo sea lícito en la medida en que sea necesario para la ejecución de una tarea realizada por una autoridad competente, para los fines establecidos en el artículo 1, apartado 1, y esté basado en el Derecho de la Unión o del Estado miembro.

2. El Derecho del Estado miembro que regule el tratamiento dentro del ámbito de aplicación de la presente Directiva, deberá indicar al menos los objetivos del tratamiento, los datos personales que vayan a ser objeto del mismo y las finalidades del tratamiento.

Artículo 9. *Condiciones de tratamiento específicas*

1. Los datos personales recogidos por las autoridades competentes para los fines establecidos en el artículo 1, apartado 1, no serán tratados para otros fines distintos de los establecidos en el artículo 1, apartado 1 salvo que dicho tratamiento esté autorizado por el Derecho de la Unión o del Estado miembro. Cuando los datos personales sean tratados para otros fines, se aplicará el Reglamento (UE) 2016/679 a menos que el tratamiento se efectúe como parte de una actividad que quede fuera del ámbito de aplicación del Derecho de la Unión.

2. Cuando el Derecho del Estado miembro encomiende a las autoridades competentes el desempeño de funciones que no coincidan con los fines establecidos en el artículo 1, apartado 1, se aplicará el Reglamento (UE) 2016/679 al tratamiento con dichos fines, incluidos fines de archivo en interés público, de investigación científica e histórica o estadísticos, salvo que el tratamiento se lleve a cabo en una actividad que quede fuera del ámbito de aplicación del Derecho de la Unión.

3. Los Estados miembros dispondrán que, cuando el Derecho de la Unión o del Estado miembro aplicable a la autoridad competente transmisora prevea condiciones específicas aplicables al tratamiento, la autoridad competente transmisora deberá informar al destinatario al que se transmitan los datos de las condiciones y la obligación de respetarlos.

4. Los Estados miembros dispondrán que la autoridad competente transmisora no aplique las condiciones del apartado 3 a los destinatarios de otros Estados miembros o a los organismos, agencias y órganos establecidos en virtud de los capítulos 4 y 5 del título V de la tercera parte del TFUE distintas de las aplicables a las transmisiones de datos similares en el Estado miembro de la autoridad competente transmisora.

Artículo 10. *Tratamiento de categorías especiales de datos personales*

El tratamiento de datos personales que revelen el origen étnico o racial, las opiniones políticas, las convicciones religiosas o filosóficas, o la afiliación sindical, así como el tratamiento de datos genéticos, datos biométricos dirigidos a identificar de manera unívoca a una persona física, datos relativos a la salud o a la vida sexual o las orientaciones sexuales de una persona física solo se permitirá cuando sea estrictamente necesario, con sujeción a las salvaguardias adecuadas para los derechos y libertades del interesado y únicamente cuando:

a) lo autorice el Derecho de la Unión o del Estado miembro;

b) sea necesario para proteger los intereses vitales del interesado o de otra persona física, o

c) dicho tratamiento se refiera a datos que el interesado haya hecho manifiestamente públicos.

Artículo 11. *Mecanismo de decisión individual automatizado*

1. Los Estados miembros dispondrán la prohibición de las decisiones basadas únicamente en un tratamiento automatizado, incluida la elaboración de perfiles, que produzcan efectos jurídicos negativos para el interesado o le afecten significativamente, salvo que estén autorizadas por el Derecho de la Unión o del Estado miembro a la que esté sujeto el responsable del tratamiento y que establezca medidas adecuadas para salvaguardar los derechos y libertades del interesado,

al menos el derecho a obtener la intervención humana por parte del responsable del tratamiento.

2. Las decisiones a que se refiere el apartado 1 del presente artículo no se basarán en las categorías especiales de datos personales contempladas en el artículo 10, salvo que se hayan tomado las medidas adecuadas para salvaguardar los derechos y libertades y los intereses legítimos del interesado.

3. La elaboración de perfiles que dé lugar a una discriminación de las personas físicas basándose en las categorías especiales de datos personales establecidas en el artículo 10 quedará prohibida, de conformidad con el Derecho de la Unión.

CAPÍTULO III. Derechos del interesado

Artículo 12. *Comunicación y modalidades del ejercicio de los derechos de los interesados*

1. Los Estados miembros dispondrán que el responsable tome medidas razonables para facilitar al interesado toda información contemplada en el artículo 13, así como cualquier comunicación contemplada en los artículos 11, 14 a 18 y 31 relativa al tratamiento, en forma concisa, inteligible y de fácil acceso, con un lenguaje claro y sencillo. La información será facilitada por cualquier medio adecuado, inclusive por medios electrónicos. Como norma general, el responsable facilitará la información por medio idéntico al utilizado para la solicitud.

2. Los Estados miembros dispondrán que el responsable del tratamiento facilite el ejercicio de los derechos del interesado en virtud de los artículos 11 y 14 a 18.

3. Los Estados miembros dispondrán que el responsable del tratamiento informe por escrito al interesado, sin dilación indebida, sobre el curso dado a su solicitud.

4. Los Estados miembros dispondrán que la información facilitada con arreglo al artículo 13 y cualquier comunicación efectuada y acción realizada en virtud de los artículos 11, 14 a 18 y 31 serán a título gra-

tuito. Cuando las solicitudes de un interesado sean manifiestamente infundadas o excesivas, especialmente debido a su carácter repetitivo, el responsable del tratamiento podrá:

a) cobrar un canon razonable, teniendo en cuenta los costes administrativos afrontados para facilitar la información o la comunicación o realizar la acción solicitada, o

b) negarse a actuar según lo solicitado.

El responsable del tratamiento soportará la carga de demostrar el carácter manifiestamente infundado o excesivo de la solicitud.

5. Cuando el responsable del tratamiento tenga dudas razonables en relación con la identidad de la persona física que curse la solicitud a que se refieren los artículos 14 y 16, podrá solicitar que se facilite la información complementaria necesaria para confirmar la identidad del interesado.

Artículo 13. *Información que debe ponerse a disposición del interesado o que se le debe proporcionar*

1. Los Estados miembros dispondrán que el responsable del tratamiento de los datos ponga a disposición del interesado al menos la siguiente información:

a) la identidad y los datos de contacto del responsable del tratamiento;

b) en su caso, los datos de contacto del delegado de protección de datos;

c) los fines del tratamiento a que se destinen los datos personales;

d) el derecho a presentar una reclamación ante la autoridad de control y los datos de contacto de la misma;

e) la existencia del derecho a solicitar del responsable del tratamiento el acceso a los datos personales relativos al interesado, y su rectificación o su supresión, o la limitación de su tratamiento.

2. Además de la información indicada en el apartado 1, los Estados miembros dispondrán por ley que el responsable del tratamiento de

los datos proporcione al interesado, en casos concretos, la siguiente información adicional, a fin de permitir el ejercicio de sus derechos:

a) la base jurídica del tratamiento;

b) el plazo durante el cual se conservarán los datos personales o, cuando esto no sea posible, los criterios utilizados para determinar ese plazo;

c) cuando corresponda, las categorías de destinatarios de los datos personales, en particular en terceros países u organizaciones internacionales;

d) cuando sea necesario, más información, en particular cuando los datos personales se hayan recogido sin conocimiento del interesado.

3. Los Estados miembros podrán adoptar medidas legislativas por las que se retrase, limite u omita la puesta a disposición del interesado de la información en virtud del apartado 2 siempre y cuando dicha medida constituya una medida necesaria y proporcional en una sociedad democrática, teniendo debidamente en cuenta los derechos fundamentales y los intereses legítimos de la persona física afectada, para:

a) evitar que se obstaculicen indagaciones, investigaciones o procedimientos oficiales o judiciales;

b) evitar que se cause perjuicio a la prevención, detección, investigación o enjuiciamiento de infracciones penales o a la ejecución de sanciones penales;

c) proteger la seguridad pública;

d) proteger la seguridad nacional;

e) proteger los derechos y libertades de otras personas.

4. Los Estados miembros podrán adoptar medidas legislativas para determinar las categorías de tratamiento que pueden incluirse, total o parcialmente, en cualquiera de las letras del apartado 3.

Artículo 14. *Derecho de acceso del interesado a los datos personales*

Con sujeción a lo dispuesto en el artículo 15, los Estados miembros reconocerán el derecho del interesado a obtener del responsable del tratamiento confirmación de si se están tratando o no datos personales que le conciernen y, en caso de que se confirme el tratamiento, acceso a dichos datos personales y la siguiente información:

a) los fines y la base jurídica del tratamiento;

b) las categorías de datos personales de que se trate;

c) los destinatarios o las categorías de destinatarios a quienes hayan sido comunicados los datos personales, en particular los destinatarios establecidos en terceros países o las organizaciones internacionales;

d) cuando sea posible, el plazo contemplado durante el cual se conservarán los datos personales o, de no ser posible, los criterios utilizados para determinar dicho plazo;

e) la existencia del derecho a solicitar del responsable del tratamiento la rectificación o supresión de los datos personales relativos al interesado, o la limitación de su tratamiento;

f) el derecho a presentar una reclamación ante la autoridad de control y los datos de contacto de la misma;

g) la comunicación de los datos personales objeto de tratamiento, así como cualquier información disponible sobre su origen.

Artículo 15. *Limitaciones al derecho de acceso*

1. Los Estados miembros podrán adoptar medidas legislativas por las que se restrinja, total o parcialmente, el derecho de acceso del interesado siempre y cuando dicha restricción parcial o completa constituya una medida necesaria y proporcional en una sociedad democrática, teniendo debidamente en cuenta los derechos fundamentales y los intereses legítimos de la persona física afectada, para:

a) evitar que se obstaculicen indagaciones, investigaciones o procedimientos oficiales o judiciales;

b) evitar que se cause perjuicio a la prevención, detección, investigación o enjuiciamiento de infracciones penales o a la ejecución de sanciones penales;

c) proteger la seguridad pública;

d) proteger la seguridad nacional;

e) proteger los derechos y libertades de otras personas.

2. Los Estados miembros podrán adoptar medidas legislativas para determinar las categorías de tratamiento que pueden acogerse, total o parcialmente, a las exenciones del apartado 1.

3. En los casos contemplados en los apartados 1 y 2, los Estados miembros dispondrán que el responsable del tratamiento informe por escrito al interesado, sin dilación indebida, de cualquier denegación o limitación de acceso, y de las razones de la denegación o de la restricción. Esta información podrá omitirse cuando el suministro de dicha información pueda comprometer uno de los fines contemplados en el apartado 1. Los Estados miembros dispondrán que el responsable del tratamiento informe al interesado de las posibilidades de presentar una reclamación ante la autoridad de control y de interponer un recurso judicial.

4. Los Estados miembros velarán por que el responsable del tratamiento documente los fundamentos de hecho o de Derecho en los que se sustente la decisión. Dicha información se pondrá a disposición de las autoridades de control.

Artículo 16. *Derecho de rectificación o supresión de datos personales y limitación de su tratamiento*

1. Los Estados miembros reconocerán el derecho del interesado a obtener del responsable del tratamiento sin dilación indebida la rectificación de los datos personales que le conciernan cuando tales datos resulten inexactos. Teniendo en cuenta la finalidad del tratamiento, los Estados miembros dispondrán que el interesado tenga derecho a que se completen los datos personales cuando estos resulten incompletos, en particular mediante una declaración suplementaria.

2. Los Estados miembros exigirán al responsable del tratamiento suprimir los datos personales sin dilación indebida y dispondrán el derecho del interesado a obtener del responsable del tratamiento la supresión de los datos personales que le conciernan sin dilación indebida cuando el tratamiento infrinja los artículos 4, 8 o 10, o cuando

los datos personales deban ser suprimidos en virtud de una obligación legal a la que esté sujeto el responsable del tratamiento.

3. En lugar de proceder a la supresión, el responsable del tratamiento limitará el tratamiento de los datos personales cuando:

a) el interesado ponga en duda la exactitud de los datos personales y no pueda determinarse la exactitud o inexactitud, o

b) los datos personales hayan de conservarse a efectos probatorios.

Cuando el tratamiento esté limitado en virtud del párrafo primero, letra a), el responsable del tratamiento informará al interesado antes de levantar la limitación del tratamiento.

4. Los Estados miembros dispondrán que el responsable del tratamiento informe al interesado por escrito de cualquier denegación de rectificación o supresión de los datos personales, o de limitación de su tratamiento, y de las razones de la denegación. Los Estados miembros podrán adoptar medidas legislativas por las que se restrinja, total o parcialmente, la obligación de proporcionar tal información, en siempre y cuando dicha limitación del tratamiento constituya una medida necesaria y proporcional en una sociedad democrática, teniendo debidamente en cuenta los derechos fundamentales y los intereses legítimos de la persona física afectada, para:

a) evitar que se obstaculicen indagaciones, investigaciones o procedimientos oficiales o judiciales;

b) evitar que se cause perjuicio a la prevención, detección, investigación o enjuiciamiento de infracciones penales o a la ejecución de sanciones penales;

c) proteger la seguridad pública;

d) proteger la seguridad nacional;

e) proteger los derechos y libertades de otras personas.

Los Estados miembros dispondrán que el responsable del tratamiento informe al interesado de las posibilidades de presentar una reclamación ante la autoridad de control y de interponer un recurso judicial.

5. Los Estados miembros dispondrán que el responsable del tratamiento comunique la rectificación de los datos personales inexactos a la autoridad competente de la que procedan los datos personales inexactos.

6. Los Estados miembros dispondrán que, cuando los datos personales hayan sido rectificados o suprimidos o el tratamiento haya sido limitado en virtud de los apartados 1, 2 y 3, el responsable del tratamiento lo notifique a los destinatarios y que estos rectifiquen o supriman los datos personales que estén bajo su responsabilidad, o limiten su tratamiento.

Artículo 17. *Ejercicio de los derechos del interesado y comprobación por la autoridad de control*

1. En los casos contemplados en el artículo 13, apartado 3, en el artículo 15, apartado 3, y en el artículo 16, apartado 4, los Estados miembros adoptarán medidas por las que se disponga que los derechos del interesado también puedan ejercerse a través de la autoridad de control competente.

2. Los Estados miembros dispondrán que el responsable del tratamiento informe al interesado de la posibilidad de ejercer sus derechos a través de la autoridad de control con arreglo a lo dispuesto en el apartado 1.

3. Cuando se ejerza el derecho contemplado en el apartado 1, la autoridad de control informará, al menos, al interesado de que se han efectuado todas las comprobaciones necesarias o la revisión correspondiente. La autoridad de control informará también al interesado de su derecho a la tutela judicial.

Artículo 18. *Derechos del interesado en las investigaciones y los procesos penales*

Los Estados miembros podrán disponer que el ejercicio de los derechos a los que se hace referencia en los artículos 13, 14 y 16 se lleve a cabo de conformidad con el Derecho del Estado miembro cuando los datos personales figuren en una resolución judicial o en un registro o expediente tramitado en el curso de investigaciones y procesos penales.

CAPÍTULO IV. Responsable del tratamiento y encargado del tratamiento

Sección 1. Obligaciones generales

Artículo 19. *Obligaciones del responsable del tratamiento*

1. Los Estados miembros dispondrán que el responsable del tratamiento, teniendo en cuenta la naturaleza, el ámbito, el contexto y los fines del tratamiento, así como los riesgos de diversa probabilidad y gravedad para los derechos y libertades de las personas físicas, aplique las medidas técnicas y organizativas apropiadas para garantizar y estar en condiciones de demostrar que el tratamiento se lleva a cabo de conformidad con la presente Directiva. Tales medidas se revisarán y actualizarán cuando sea necesario.

2. Cuando sean proporcionadas en relación con las actividades de tratamiento, entre las medidas mencionadas en el apartado 1 se incluirá la aplicación, por parte del responsable del tratamiento, de las oportunas políticas de protección de datos.

Artículo 20. *Protección de datos desde el diseño y por defecto*

1. Los Estados miembros dispondrán que el responsable del tratamiento, teniendo en cuenta el estado de la técnica y el coste de la aplicación, y la naturaleza, el ámbito, el contexto y los fines del tratamiento, así como los riesgos de diversa probabilidad y gravedad para los derechos y libertades de las personas físicas planteados por el tratamiento, aplique, tanto en el momento de determinar los medios para el tratamiento como en el momento del propio tratamiento, las medidas técnicas y organizativas apropiadas, como por ejemplo la seudonimización, concebidas para aplicar los principios de protección de

datos, como por ejemplo la minimización de datos, de forma efectiva y para integrar las garantías necesarias en el tratamiento, de tal manera que este cumpla los requisitos de la presente Directiva y se protejan los derechos de los interesados.

2. Los Estados miembros dispondrán que el responsable del tratamiento aplique las medidas técnicas y organizativas apropiadas con miras a garantizar que, por defecto, solo sean objeto de tratamiento los datos personales que sean necesarios para cada uno de los fines específicos del tratamiento. Dicha obligación se aplicará a la cantidad de datos personales recogidos, a la extensión de su tratamiento, a su período de conservación y a su accesibilidad. En concreto, tales medidas garantizarán que, por defecto, los datos personales no sean accesibles, sin intervención de la persona, a un número indeterminado de personas físicas.

Artículo 21. *Corresponsables del tratamiento*

1. Los Estados miembros dispondrán que, cuando dos o más responsables del tratamiento determinen conjuntamente los objetivos y los medios de tratamiento, sean considerados corresponsables del tratamiento. Determinarán, de modo transparente y de mutuo acuerdo, cuáles serán sus responsabilidades respectivas en el cumplimiento de la presente Directiva, en particular por lo que se refiere al ejercicio de los derechos del interesado y a sus respectivas obligaciones en el suministro de la información contemplada en el artículo 13, salvo y en la medida en que las responsabilidades respectivas de los responsables se rijan por el Derecho de la Unión o del Estado miembro a que estén sujetos los responsables del tratamiento. El citado acuerdo designará el punto de contacto para los interesados. Los Estados miembros podrán designar cuál de los corresponsables puede actuar como punto único de contacto para el interesado por lo que respecta al ejercicio de sus derechos.

2. Independientemente de los términos del acuerdo a que hace referencia el apartado 1, los Estados miembros podrán disponer que el

interesado pueda ejercer los derechos que le reconocen las disposiciones adoptadas con arreglo a la presente Directiva con respecto a cada uno de los responsables y frente a ellos.

Artículo 22. *Encargado del tratamiento*

1. Los Estados miembros dispondrán que, cuando una operación de tratamiento vaya a ser llevada a cabo por cuenta de un responsable del tratamiento, este recurra únicamente a encargados que ofrezcan garantías suficientes para aplicar medidas técnicas y organizativas apropiadas, de manera que el tratamiento sea conforme con los requisitos de la presente Directiva y garantice la protección de los derechos del interesado.

2. Los Estados miembros dispondrán que el encargado del tratamiento no recurra a otro encargado sin la autorización previa por escrito, específica o general, del responsable del tratamiento. En el caso de la autorización por escrito general, el encargado informará siempre al responsable de cualquier cambio previsto referido a la adición o sustitución de otros encargados, dando así al responsable la oportunidad de oponerse a dichos cambios.

3. Los Estados miembros dispondrán que el tratamiento por un encargado se rija por un contrato u otro acto jurídico con arreglo al Derecho de la Unión o de un Estado miembro que vincule al encargado con el responsable, que fije el objeto y la duración del tratamiento, su naturaleza y finalidad, el tipo de datos personales y categorías de interesados y las obligaciones y derechos del responsable. Dicho contrato u otro acto jurídico estipulará, en particular, que el encargado del tratamiento:

a) actúe únicamente siguiendo las instrucciones del responsable del tratamiento;

b) garantice que las personas autorizadas para tratar datos personales se hayan comprometido a respetar la confidencialidad o estén sujetas a una obligación profesional de confidencialidad;

c) asista al responsable del tratamiento por cualquier medio adecuado para garantizar el cumplimiento de las disposiciones sobre los derechos del interesado;

d) a elección del responsable del tratamiento, suprima o devuelva todos los datos personales al responsable del tratamiento una vez finalice la prestación de los servicios de tratamiento, y suprima las copias existentes a menos que el Derecho de la Unión o del Estado miembro requieran la conservación de los datos personales;

e) ponga a disposición del responsable del tratamiento toda la información necesaria para demostrar el cumplimiento del presente artículo;

f) respete las condiciones indicadas en los apartados 2 y 3 para contratar a otro encargado del tratamiento.

4. El contrato u otro acto jurídico a que se refiere el apartado 3 se establecerá por escrito, inclusive en formato electrónico.

5. Si un encargado del tratamiento, infringiendo la presente Directiva, determinase los fines y medios de dicho tratamiento, será considerado responsable con respecto a ese tratamiento.

Artículo 23. *Tratamiento bajo la autoridad del responsable o del encargado del tratamiento*

Los Estados miembros dispondrán que el encargado del tratamiento, así como cualquier persona que actúe bajo la autoridad del responsable o del encargado del tratamiento y tenga acceso a datos personales, solo pueda someterlos a tratamiento siguiendo instrucciones del responsable del tratamiento, a menos que esté obligado a hacerlo por el Derecho de la Unión o de un Estado miembro.

Artículo 24. *Registros de las actividades de tratamiento*

1. Los Estados miembros dispondrán que cada responsable conserve un registro de todas las categorías de actividades de tratamiento de datos personales efectuadas bajo su responsabilidad. Dicho registro deberá contener toda la información siguiente:

a) el nombre y los datos de contacto del responsable del tratamiento y, en su caso, del corresponsable y del delegado de protección de datos;

b) los fines del tratamiento;

c) las categorías de destinatarios a quienes se hayan comunicado o vayan a comunicarse los datos personales, incluidos los destinatarios en terceros países u organizaciones internacionales;

d) una descripción de las categorías de interesados y de las categorías de datos personales;

e) en su caso, el recurso a la elaboración de perfiles;

f) en su caso, las categorías de transferencias de datos personales a un tercer país o a una organización internacional;

g) una indicación de la base jurídica del tratamiento, incluidas las transferencias, de que van a ser objeto los datos personales;

h) cuando sea posible, los plazos previstos para la supresión de las diferentes categorías de datos personales;

i) cuando sea posible, una descripción general de las medidas técnicas y organizativas de seguridad a que se refiere el artículo 29, apartado 1.

2. Los Estados miembros dispondrán que cada encargado del tratamiento lleve un registro de todas las categorías de actividades de tratamiento de datos personales efectuadas en nombre de un responsable, el cual contendrá:

a) el nombre y los datos de contacto del encargado o encargados del tratamiento, de cada responsable del tratamiento en cuyo nombre actúe el encargado y, si ha lugar, el delegado de protección de datos;

b) las categorías de tratamientos efectuados en nombre de cada responsable;

c) en su caso, las transferencias de datos personales a un tercer país o a una organización internacional, incluida, cuando el responsable del tratamiento así lo ordene explícitamente, la identificación de dicho tercer país o de dicha organización internacional;

d) cuando sea posible, una descripción general de las medidas técnicas y organizativas de seguridad a que se refiere el artículo 29, apartado 1.

3. Los registros a que se refieren los apartados 1 y 2 se establecerán por escrito, inclusive en formato electrónico.

El responsable y el encargado del tratamiento harán que los registros estén disponibles para la autoridad de control a solicitud de esta.

Artículo 25. *Registro de operaciones*

1. Los Estados miembros velarán por que se conserven registros de, al menos, las operaciones de tratamiento en sistemas de tratamiento automatizados siguientes: recogida, alteración, consulta, comunicación incluidas las transferencias, combinación o supresión. Los registros de consulta y comunicación harán posible determinar la justificación, la fecha y la hora de tales operaciones y, en la medida de lo posible, el nombre de la persona que consultó o comunicó datos personales, así como la identidad de los destinatarios de dichos datos personales.

2. Dichos registros se utilizarán únicamente a efectos de verificar la legalidad del tratamiento, autocontrol, garantizar la integridad y la seguridad de los datos personales y en el ámbito de los procesos penales.

3. El responsable y el encargado del tratamiento pondrán los registros de operaciones a disposición de la autoridad de control a solicitud de esta.

Artículo 26. *Cooperación con la autoridad de control*

Los Estados miembros dispondrán que el responsable y el encargado del tratamiento cooperen con la autoridad de control, cuando esta lo solicite, en el desempeño de sus funciones.

Artículo 27. *Evaluación de impacto relativa a la protección de datos*

1. Cuando sea probable que un tipo de tratamiento, en particular si utiliza nuevas tecnologías, por su naturaleza, alcance, contexto o

fines, suponga un alto riesgo para los derechos y libertades de las personas físicas, los Estados miembros dispondrán que el responsable del tratamiento lleve a cabo, con carácter previo, una evaluación del impacto de las operaciones de tratamiento previstas en la protección de datos personales.

2. La evaluación mencionada en el apartado 1 incluirá, como mínimo, una descripción general de las operaciones de tratamiento previstas, una evaluación de los riesgos para los derechos y libertades de los interesados, las medidas contempladas para hacer frente a estos riesgos, y las garantías, medidas de seguridad y mecanismos destinados a garantizar la protección de los datos personales y a demostrar la conformidad con la presente Directiva, teniendo en cuenta los derechos e intereses legítimos de los interesados y las demás personas afectadas.

Artículo 28. *Consulta previa a la autoridad de control*

1. Los Estados miembros velarán por que el responsable o el encargado del tratamiento consulte a la autoridad de control antes de proceder al tratamiento de datos personales que vayan a formar parte de un nuevo fichero que haya de crearse, cuando:

a) la evaluación del impacto en la protección de los datos que prevé el artículo 27 indique que el tratamiento entrañaría un alto riesgo a falta de medidas adoptadas por el responsable a fin de mitigar el riesgo, o

b) el tipo de tratamiento, en particular cuando se usen tecnologías, mecanismos o procedimientos nuevos, constituya un alto riesgo para los derechos y libertades de los interesados.

2. Los Estados miembros dispondrán que se consulte a la autoridad de control durante la elaboración de toda propuesta de medida legislativa que deba ser adoptada por un Parlamento nacional, o de una medida reglamentaria basada en dicha medida legislativa, que guarde relación con el tratamiento.

3. Los Estados miembros dispondrán que la autoridad de control pueda establecer una lista de las operaciones de tratamiento que están sujetas a consulta previa con arreglo a lo dispuesto en el apartado 1.

4. Los Estados miembros dispondrán que el responsable del tratamiento facilite a la autoridad de control la evaluación de impacto relativa a la protección de datos contemplada en el artículo 27 y, previa solicitud, cualquier información adicional que permita a la autoridad de control evaluar la conformidad del tratamiento y, en particular, los riesgos para la protección de los datos personales del interesado y las garantías correspondientes.

5. Los Estados miembros dispondrán que, cuando la autoridad de control considere que el tratamiento previsto a que se refiere el apartado 1 del presente artículo podría infringir lo dispuesto en la presente Directiva, en particular cuando el responsable del tratamiento no haya identificado o mitigado suficientemente el riesgo, dicha autoridad de control deberá, en un plazo de seis semanas desde la solicitud de la consulta, asesorar por escrito al responsable del tratamiento y, en su caso, al encargado del tratamiento, y podrá ejercer cualquiera de sus poderes mencionados en el artículo 47. Este plazo podrá prorrogarse un mes, en función de la complejidad del tratamiento previsto. La autoridad de control informará al responsable y, en su caso, al encargado, de tal prórroga en el plazo de un mes a partir de la recepción de la solicitud de consulta, junto con los motivos de la dilación.

Sección 2. Seguridad de los datos personales

Artículo 29. *Seguridad del tratamiento*

1. Los Estados miembros dispondrán que el responsable y el encargado del tratamiento, teniendo en cuenta el estado de la técnica y los costes de aplicación, y la naturaleza, el alcance, el contexto y los fines del tratamiento, así como el riesgo de probabilidad y gravedad variables para los derechos y libertades de las personas físicas, apliquen medidas técnicas y organizativas apropiadas para garantizar un

nivel de seguridad adecuado al riesgo, sobre todo en lo que se refiere al tratamiento de las categorías especiales de datos personales previstas en el artículo 10.

2. Por lo que respecta al tratamiento automatizado, cada Estado miembro dispondrá que el responsable o encargado del tratamiento, a raíz de una evaluación de los riesgos, ponga en práctica medidas destinadas a:

a) denegar el acceso a personas no autorizadas a los equipamientos utilizados para el tratamiento (control de acceso a los equipamientos);

b) impedir que los soportes de datos puedan ser leídos, copiados, modificados o cancelados por personas no autorizadas (control de los soportes de datos);

c) impedir que se introduzcan sin autorización datos personales conservados, o que estos puedan inspeccionarse, modificarse o suprimirse sin autorización (control del almacenamiento);

d) impedir que los sistemas de tratamiento automatizado puedan ser utilizados por personas no autorizadas por medio de instalaciones de transmisión de datos (control de los usuarios);

e) garantizar que las personas autorizadas a utilizar un sistema de tratamiento automatizado solo puedan tener acceso a los datos personales para los que han sido autorizados (control del acceso a los datos);

f) garantizar que sea posible verificar y establecer a qué organismos se han transmitido o pueden transmitirse o a cuya disposición pueden ponerse los datos personales mediante equipamientos de comunicación de datos (control de la transmisión);

g) garantizar que pueda verificarse y constatarse a posteriori qué datos personales se han introducido en los sistemas de tratamiento automatizado y en qué momento y por qué persona han sido introducidos (control de la introducción);

h) impedir que durante las transferencias de datos personales o durante el transporte de soportes de datos, los datos personales puedan ser leídos, copiados, modificados o suprimidos sin autorización (control del transporte);

i) garantizar que los sistemas instalados puedan restablecerse en caso de interrupción (restablecimiento);

j) garantizar que las funciones del sistema no presenten defectos, que los errores de funcionamiento sean señalados (fiabilidad) y que los datos personales almacenados no se degraden por fallos de funcionamiento del sistema (integridad).

Artículo 30. *Notificación a la autoridad de control de una violación de la seguridad de los datos personales*

1. Los Estados miembros dispondrán que, en caso de violación de la seguridad de los datos personales, el responsable del tratamiento la notificará a la autoridad de control sin dilación indebida, y, de ser posible, a más tardar 72 horas después de que haya tenido constancia de ella, a menos que sea improbable que la violación de la seguridad de los datos personales constituya un riesgo para los derechos y las libertades de las personas físicas. Si la notificación a la autoridad de control no se hace en el plazo de 72 horas, deberá ir acompañada de los motivos de la dilación.

2. El encargado del tratamiento notificará sin dilación indebida al responsable del tratamiento las violaciones de la seguridad de los datos personales de las que tenga conocimiento.

3. La notificación contemplada en el apartado 1 deberá, al menos:

a) describir la naturaleza de la violación de la seguridad de los datos personales, incluyendo, cuando sea posible, las categorías y el número aproximado de interesados afectados, y las categorías y el número aproximado de registros de datos personales afectados;

b) comunicar el nombre y los datos de contacto del delegado de protección de datos o de otro punto de contacto en el que pueda obtenerse más información;

c) describir las posibles consecuencias de la violación de la seguridad de los datos personales;

d) describir las medidas adoptadas o propuestas por el responsable del tratamiento para poner remedio a la violación de la seguridad de los datos personales, incluyendo, si procede, las medidas adoptadas para mitigar sus posibles efectos negativos.

4. Si no fuera posible, o en la medida en que no sea posible, facilitar la información simultáneamente, se podrá facilitar la información por etapas sin dilación indebida.

5. Los Estados miembros dispondrán que el responsable del tratamiento documente cualquier violación de la seguridad de los datos personales a que se hace referencia en el apartado 1, incluidos los hechos relativos a dicha violación, sus efectos y las medidas correctivas adoptadas. Dicha documentación deberá permitir a la autoridad de control verificar el cumplimiento de lo dispuesto en el presente artículo.

6. Los Estados miembros dispondrán que cuando la violación de la seguridad de los datos personales tenga que ver con datos que hayan sido transmitidos por el responsable del tratamiento o al responsable del tratamiento de otro Estado miembro, la información a que se refiere el apartado 3 se comunique al responsable del tratamiento de este Estado miembro sin dilación indebida.

Artículo 31. *Comunicación de una violación de la seguridad de los datos personales al interesado*

1. Los Estados miembros dispondrán que, cuando sea probable que la violación de la seguridad de los datos personales vaya a dar lugar a un alto riesgo para los derechos y libertades de las personas físicas, el responsable del tratamiento comunique al interesado, sin dilación indebida, la violación de la seguridad de los datos personales.

2. La comunicación al interesado contemplada en el apartado 1 del presente artículo describirá con un lenguaje claro y sencillo la naturaleza de la violación de la seguridad de los datos personales y contendrá, al menos, la información y las medidas a que se refiere el artículo 30, apartado 3, letras b), c) y d).

3. La comunicación al interesado a que se refiere el apartado 1 no será necesaria si se cumple alguna de las condiciones siguientes:

a) el responsable del tratamiento ha adoptado medidas de protección técnicas y organizativas apropiadas y dichas medidas se han aplicado a los datos personales afectados por la violación de la seguridad de los datos personales, en particular aquellas que hagan ininteligibles los datos personales para cualquier persona que no esté autorizada a acceder a ellos, como el cifrado;

b) el responsable del tratamiento ha tomado medidas ulteriores que garanticen que ya no sea probable que se materialice el alto riesgo para los derechos y libertades del interesado a que hace referencia el apartado 1;

c) suponga un esfuerzo desproporcionado. En este supuesto, se optará a cambio por una comunicación pública o una medida semejante mediante la cual se informe a los interesados de manera igualmente efectiva.

4. Cuando el responsable del tratamiento no haya comunicado todavía al interesado la violación de la seguridad de los datos personales, la autoridad de control, una vez considerada la probabilidad de que tal violación suponga un alto riesgo, podrá exigirle que lo haga o podrá decidir que se cumple alguna de las condiciones que cita el apartado 3.

5. La comunicación al interesado a que se hace referencia en el apartado 1 del presente artículo podrá aplazarse, limitarse u omitirse con sujeción a las condiciones y por los motivos que se contemplan en el artículo 13, apartado 3.

Sección 3. Delegado de protección de datos

Artículo 32. *Designación del delegado de protección de datos*

1. Los Estados miembros dispondrán que el responsable del tratamiento designe un delegado de protección de datos. Los Estados miembros podrán eximir de esa obligación a los tribunales y demás

autoridades judiciales independientes cuando actúen en ejercicio de sus competencias judiciales.

2. El delegado de protección de datos será designado atendiendo a sus cualidades profesionales y, en particular, a sus conocimientos especializados de la legislación y las prácticas en materia de protección de datos, y a su capacidad para desempeñar las funciones contempladas en el artículo 34.

3. Podrá designarse a un único delegado de protección de datos para varias autoridades competentes teniendo en cuenta la estructura organizativa y tamaño de estas.

4. Los Estados miembros dispondrán que el responsable del tratamiento publique los datos de contacto del delegado de protección de datos y los comunique a la autoridad de control.

Artículo 33. *Posición del delegado de protección de datos*

1. Los Estados miembros dispondrán que el responsable del tratamiento vele por que el delegado de protección de datos participe adecuada y oportunamente en todas las cuestiones relativas a la protección de datos personales.

2. El responsable del tratamiento respaldará al delegado de protección de datos en el desempeño de las funciones contempladas en el artículo 34 facilitando los recursos necesarios para el desempeño de dichas funciones y el acceso a los datos personales y a las operaciones de tratamiento, así como para mantener sus conocimientos especializados.

Artículo 34. *Funciones del delegado de protección de datos*

Los Estados miembros dispondrán que el responsable del tratamiento encomiende al delegado de protección de datos, como mínimo, las siguientes funciones:

a) informar y asesorar al responsable del tratamiento y a los empleados que se ocupen del mismo de las obligaciones que les incumben en virtud de la presente Directiva y de otras disposiciones de protección de datos de la Unión o de los Estados miembros;

b) supervisar el cumplimiento de lo dispuesto en la presente Directiva, de otras disposiciones de protección de datos de la Unión o de los Estados miembros y de las políticas del responsable del tratamiento en materia de protección de datos personales, incluidas la asignación de responsabilidades, la concienciación y formación del personal que participa en las operaciones de tratamiento, y las auditorías correspondientes;

c) ofrecer el asesoramiento que se le pida acerca de la evaluación de impacto relativa a la protección de datos y supervisar su realización de conformidad con el artículo 27;

d) cooperar con la autoridad de control;

e) actuar como punto de contacto de la autoridad de control para las cuestiones relacionadas con el tratamiento, incluida la consulta previa a que hace referencia el artículo 28, y realizar consultas, en su caso, sobre cualquier otro asunto.

CAPÍTULO V. Transferencias de datos personales a terceros países u organizaciones internacionales

Artículo 35. *Principios generales de las transferencias de datos personales*

1. Los Estados miembros dispondrán que cualquier transferencia de datos personales por las autoridades competentes en curso de tratamiento o que vayan a tratarse después de su transferencia a un tercer país o a una organización internacional, incluidas las transferencias ulteriores a otro tercer país u otra organización internacional, pueda realizarse en cumplimiento de las disposiciones nacionales adoptadas a tenor de otras disposiciones de la presente Directiva, solamente cuando se hayan cumplido las condiciones previstas en el presente capítulo, esto es:

a) la transferencia sea necesaria a los fines establecidos en el artículo 1, apartado 1;

b) los datos personales se transfieran a un responsable del tratamiento de un tercer país u organización internacional que sea una autoridad pública competente a los fines mencionados en el artículo 1, apartado 1;

c) en caso de que los datos personales se transmitan o procedan de otro Estado miembro, dicho Estado miembro haya dado su autorización previa para la transferencia de conformidad con el Derecho nacional:

d) la Comisión haya adoptado una decisión de adecuación con arreglo al artículo 36 o, a falta de dicha decisión, cuando las garantías apropiadas se obtengan o existan de conformidad con el artículo 37 o, a falta de una decisión de adecuación en virtud del artículo 36 y de las garantías apropiadas de conformidad con el artículo 37, se apliquen excepciones para situaciones específicas de conformidad con el artículo 38, y

e) cuando se trate de una transferencia ulterior a otro tercer país u organización internacional, la autoridad competente que haya efectuado la transferencia inicial u otra autoridad competente del mismo Estado miembro autorice la transferencia ulterior, una vez considerados debidamente todos los factores pertinentes, entre estos la gravedad de la infracción penal, la finalidad para la que se transfirieron inicialmente los datos personales y el nivel de protección de los datos personales existente en el tercer país u organización internacional a los que se transfieran ulteriormente los datos personales.

2. Los Estados miembros dispondrán que las transferencias sin autorización previa de otro Estado miembro según lo dispuesto en el apartado 1, letra c), solo se permitan si la transferencia de datos personales es necesaria a fin de prevenir una amenaza inmediata y grave para la seguridad pública de un Estado miembro, o de un tercer país, o para los intereses fundamentales de un Estado miembro, y la autoriza-

ción previa no puede conseguirse a su debido tiempo. Se informará sin dilación a la autoridad responsable de conceder la autorización previa.

3. Todas las disposiciones del presente capítulo se aplicarán a fin de garantizar que no se menoscabe el nivel de protección de las personas físicas que garantiza la presente Directiva.

Artículo 36. *Transferencias basadas en una decisión de adecuación*

1. Los Estados miembros dispondrán que pueda realizarse una transferencia de datos personales a un tercer país o una organización internacional cuando la Comisión haya decidido que el tercer país, un territorio o uno o varios sectores específicos de ese tercer país, o la organización internacional de que se trate garantizan un nivel de protección adecuado. Dicha transferencia no requerirá ninguna autorización específica.

2. Al evaluar la adecuación del nivel de protección, la Comisión tendrá en cuenta, en particular, los elementos siguientes:

a) el Estado de Derecho, el respeto de los derechos humanos y las libertades fundamentales, la legislación pertinente, tanto general como sectorial, incluidas la seguridad pública, la defensa, la seguridad nacional, el Derecho penal y el acceso de las autoridades públicas a los datos personales, así como la aplicación de dicha legislación, las normas de protección de los datos, las normas profesionales y las medidas de seguridad, incluidas las normas para las transferencias ulteriores de datos personales a otro tercer país u organización internacional que se apliquen en el tercer país o en la organización internacional en cuestión, la jurisprudencia, así como los derechos del interesado efectivos y exigibles y un derecho de recurso administrativo y judicial efectivo de los interesados cuyos datos personales son transferidos;

b) la existencia y el funcionamiento efectivo de una o varias autoridades de control independientes en el tercer país o a las que esté sujeta una organización internacional, con la responsabilidad de garantizar y ejecutar el cumplimiento de las normas en materia de protección de datos, incluidos los poderes ejecutivos adecuados, de asistir y asesorar a los interesados en el ejercicio de sus derechos y de cooperar con las autoridades de control de los Estados miembros, y

c) los compromisos internacionales asumidos por el tercer país o la organización internacional correspondiente, u otras obligaciones que deriven de convenios o instrumentos jurídicamente vinculantes o de su participación en sistemas multilaterales o regionales, en particular en relación con la protección de datos personales.

3. La Comisión, tras haber evaluado la adecuación del nivel de protección, podrá decidir, mediante un acto de ejecución, que un tercer país, un territorio o uno o varios sectores específicos de un tercer país, o una organización internacional garantizan un nivel de protección adecuado a tenor de lo dispuesto en el apartado 2 del presente artículo. El acto de ejecución contendrá un mecanismo para su revisión periódica, como mínimo cada cuatro años, que tendrá en cuenta todos los acontecimientos que sean de interés en el tercer país u organización internacional. El acto de ejecución especificará su ámbito de aplicación territorial y sectorial y, cuando proceda, determinará cuál es la autoridad o autoridades de control a que se refiere el apartado 2, letra b), del presente artículo. El acto de ejecución se adoptará con arreglo al procedimiento de examen contemplado en el artículo 58, apartado 2.

4. La Comisión supervisará de forma permanente los acontecimientos en los terceros países y organizaciones internacionales que pudiesen afectar al funcionamiento de las decisiones adoptadas en virtud del apartado 3.

5. Cuando así lo revele la información disponible, en particular a raíz de la revisión prevista en el apartado 3 del presente artículo, la Comisión podrá decidir que un tercer país, o uno o más sectores específicos en ese tercer país, o una organización internacional han dejado de garantizar un nivel de protección adecuado a tenor de lo dispuesto en el apartado 2 del presente artículo y podrá, en caso necesario, derogar, modificar o suspender la decisión a que se refiere el apartado 3 del presente artículo, mediante actos de ejecución, sin efecto retroactivo.

Dichos actos de ejecución se adoptarán de acuerdo con el procedimiento de examen contemplado en el artículo 58, apartado 2.

Por razones imperiosas de urgencia debidamente justificadas, la Comisión adoptará actos de ejecución inmediatamente aplicables de conformidad con el procedimiento contemplado en el artículo 58, apartado 3.

6. La Comisión entablará consultas con el tercer país o la organización internacional con vistas a poner remedio a la situación que haya originado la decisión adoptada de conformidad con lo dispuesto en el apartado 5.

7. Los Estados miembros dispondrán que toda decisión de conformidad con lo dispuesto en el apartado 5 del presente artículo se entienda sin perjuicio de las transferencias de datos personales al tercer país, un territorio o uno o varios sectores específicos de ese tercer país, o a la organización internacional de que se trate en virtud de lo dispuesto en los artículos 37 y 38.

8. La Comisión publicará en el Diario Oficial de la Unión Europea y en su página web una lista de los terceros países, territorios y sectores específicos en un tercer país, y de las organizaciones internacionales para los que haya decidido que sigue o no garantizado un nivel de protección adecuado.

Artículo 37. *Transferencias mediante garantías apropiadas*

1. En ausencia de una decisión con arreglo a lo dispuesto en el artículo 36, apartado 3, los Estados miembros dispondrán que pueda producirse una transferencia de datos personales a un tercer país o una organización internacional cuando:

a) se hayan aportado garantías apropiadas con respecto a la protección de datos personales en un instrumento jurídicamente vinculante, o

b) el responsable del tratamiento haya evaluado todas las circunstancias que concurren en la transferencia de datos personales y hayan llegado a la conclusión de que existen garantías apropiadas con respecto a la protección de datos personales.

2. El responsable del tratamiento informará a la autoridad de control acerca de las categorías de transferencias a tenor del apartado 1, letra b).

3. Cuando las transferencias se basen en lo dispuesto en el apartado 1, letra b), deberán documentarse y la documentación se pondrá a disposición de la autoridad de control previa solicitud, con inclusión de la fecha y la hora de la transferencia, información sobre la autoridad competente destinataria, la justificación de la transferencia y los datos personales transferidos.

Artículo 38. *Excepciones para situaciones específicas*

1. En ausencia de una decisión de adecuación de conformidad con el artículo 36, o de garantías apropiadas de conformidad con el artículo 37, los Estados miembros dispondrán que pueda procederse a una transferencia o categoría de transferencias de datos personales a un tercer país o una organización internacional únicamente cuando la transferencia sea necesaria:

a) para proteger los intereses vitales del interesado o de otra persona;

b) para salvaguardar intereses legítimos del interesado cuando así lo disponga el Derecho del Estado miembro que transfiere los datos personales;

c) para prevenir una amenaza grave e inmediata para la seguridad pública de un Estado miembro o de un tercer país;

d) en casos individuales a efectos del artículo 1, apartado 1, o

e) en un caso individual para el establecimiento, el ejercicio o la defensa de acciones legales en relación con los fines expuestos en el artículo 1, apartado 1.

2. Los datos personales no se transferirán si la autoridad competente de la transferencia determina que los derechos y libertades fundamentales del interesado en cuestión prevalecen sobre el interés

público en la transferencia establecido en las letras d) y e) del apartado 1.

3. Cuando las transferencias se basen en lo dispuesto en el apartado 1, deberán documentarse y la documentación se pondrá a disposición, previa solicitud, de la autoridad de control, con inclusión de la fecha y la hora de la transferencia, información sobre la autoridad competente destinataria, la justificación de la transferencia y los datos personales transferidos.

Artículo 39. *Transferencias de datos personales a destinatarios establecidos en terceros países*

1. No obstante lo dispuesto en el artículo 35, apartado 1, letra b), y sin perjuicio de todo acuerdo internacional mencionado en el apartado 2 del presente artículo, el Derecho de la Unión o del Estado miembro podrá disponer que las autoridades competentes que cita el artículo 3, punto 7, letra a), en casos particulares y específicos, transfieran datos personales directamente a destinatarios establecidos en terceros países únicamente si se cumplen las demás disposiciones de la presente Directiva y se satisfacen todas las condiciones siguientes:

a) la transferencia sea estrictamente necesaria para la realización de una función de la autoridad competente de la transferencia según dispone el Derecho de la Unión o del Estado miembro a los fines expuestos en el artículo 1, apartado 1;

b) la autoridad competente de la transferencia determine que ninguno de los derechos y libertades fundamentales del interesado en cuestión son superiores al interés público que precise de la transferencia de que se trate;

c) la autoridad competente de la transferencia considere que la transferencia a una autoridad competente del tercer país a los fines que contempla el artículo 1, apartado 1, resulta ineficaz o inadecuada, sobre todo porque no pueda efectuarse dentro de plazo;

d) se informe sin dilación indebida a la autoridad competente del tercer país a los fines que contempla el artículo 1, apartado 1, a menos que ello sea ineficaz o inadecuado;

e) la autoridad competente de la transferencia informe al destinatario de la finalidad o finalidades específicas por las que los datos personales vayan a tratarse por esta última solamente cuando dicho tratamiento sea necesario.

2. Por acuerdo internacional mencionado en el apartado 1 se entenderá todo acuerdo internacional bilateral o multinacional en vigor entre los Estados miembros y terceros países en el ámbito de la cooperación judicial en asuntos penales y de la cooperación policial.

3. La autoridad competente de la transferencia informará a la autoridad de control acerca de las transferencias efectuadas a tenor del presente artículo.

4. Cuando las transferencias se basen en el apartado 1, deberán documentarse.

Artículo 40. *Cooperación internacional en el ámbito de la protección de datos personales*

En relación con los terceros países y las organizaciones internacionales, la Comisión y los Estados miembros tomarán medidas apropiadas para:

a) crear mecanismos de cooperación internacional que faciliten la aplicación efectiva de la legislación relativa a la protección de datos personales;

b) prestarse mutuamente asistencia a escala internacional en la aplicación de la legislación relativa a la protección de datos personales, en particular mediante la notificación, la remisión de reclamaciones, la asistencia en las investigaciones y el intercambio de información, a reserva de las garantías apropiadas para la protección de los datos personales y otros derechos y libertades fundamentales;

c) procurar la participación de las correspondientes partes interesadas en los debates y actividades destinados a reforzar la cooperación internacional en la aplicación de la legislación relativa a la protección de datos personales;

d) promover el intercambio y la documentación de la legislación y prácticas en materia de protección de datos personales, inclusive en los conflictos jurisdiccionales con terceros países.

CAPÍTULO VI. Autoridades de control independientes

Sección 1. Independencia

Artículo 41. *Autoridad de control*

1. Cada Estado miembro dispondrá que sea responsabilidad de una o varias autoridades públicas independientes supervisar la aplicación de la presente Directiva, con el fin de proteger los derechos y las libertades fundamentales de las personas físicas en lo que respecta al tratamiento de sus datos personales y de facilitar la libre circulación de datos personales en la Unión (en lo sucesivo, «autoridad de control»).

2. Cada autoridad de control contribuirá a la aplicación coherente de la presente Directiva en toda la Unión. A tal fin, las autoridades de control cooperarán entre sí y con la Comisión de conformidad con el capítulo VII.

3. Los Estados miembros podrán disponer que una autoridad de control creada en virtud del Reglamento (UE) 2016/679 pueda ser la autoridad de control mencionada en la presente Directiva y asuma la responsabilidad de las funciones de la autoridad de control que vayan a crearse de conformidad con el apartado 1 del presente artículo.

4. Cuando en un Estado miembro estén establecidas varias autoridades de control, dicho Estado miembro designará la autoridad de control que vaya a representar a dichas autoridades en el Comité Europeo de Protección de Datos a que se refiere el artículo 51.

Artículo 42. *Independencia*

1. Los Estados miembros velarán por que cada autoridad de control actúe con total independencia en el desempeño de sus funciones y en el ejercicio de sus poderes de conformidad con la presente Directiva.

2. Los Estados miembros dispondrán que el miembro o miembros de sus autoridades de control, en el cumplimiento de sus funciones y el ejercicio de sus poderes de conformidad con la presente Directiva, se mantengan libres de toda influencia exterior, tanto directa como indirecta, y no soliciten ni acepten instrucciones de nadie.

3. Los miembros de las autoridades de control de los Estados miembros se abstendrán de cualquier acción que sea incompatible con sus funciones y no participarán, mientras dure su mandato, en ninguna actividad profesional incompatible, sea o no remunerada.

4. Los Estados miembros velarán por que cada autoridad de control disponga de los recursos humanos, técnicos y financieros, así como de los locales y las infraestructuras necesarios para el cumplimiento efectivo de sus funciones y el ejercicio de sus poderes, incluidos aquellos que haya de ejercer en el marco de la asistencia mutua, la cooperación y la participación en el Comité Europeo de Protección de Datos.

5. Los Estados miembros velarán por que cada autoridad de control disponga de su propio personal, designado por ella, que estará sujeto a la dirección exclusiva del miembro o miembros de la autoridad de control de que se trate.

6. Los Estados miembros velarán por que cada autoridad de control esté sujeta a control financiero, sin que ello afecte a su independencia y disponga de un presupuesto separado, público y anual, que podrá formar parte del presupuesto general estatal o nacional.

Artículo 43. *Condiciones generales aplicables a los miembros de la autoridad de control*

1. Los Estados miembros dispondrán que cada miembro de su autoridad de control sea nombrado mediante un procedimiento transparente por:

– su Parlamento,

– su Gobierno,

– su Jefe de Estado, o

– un organismo independiente encargado del nombramiento en virtud del Derecho del Estado miembro.

2. Cada miembro poseerá las cualificaciones, la experiencia y las aptitudes, especialmente en el ámbito de la protección de datos personales, necesarias para el cumplimiento de sus obligaciones y el ejercicio de sus poderes.

3. Las obligaciones de los miembros terminarán cuando expire su mandato o en caso de dimisión o jubilación obligatoria de conformidad con el Derecho del Estado miembro de que se trate.

4. Un miembro solamente podrá ser destituido en caso de conducta irregular grave o si deja de reunir las condiciones exigidas para el cumplimiento de sus obligaciones.

Artículo 44. *Normas relativas al establecimiento de la autoridad de control*

1. Cada Estado miembro dispondrá por ley todos los elementos indicados a continuación:

a) el establecimiento de cada autoridad de control;

b) las cualificaciones y condiciones de idoneidad requeridas para ser nombrado miembro de cada autoridad de control;

c) las normas y los procedimientos para el nombramiento del miembro o miembros de cada autoridad de control;

d) la duración del mandato del miembro o miembros de cada autoridad de control, que no será inferior a cuatro años, salvo los primeros nombramientos después del 6 de mayo de 2016, algunos de los cuales podrán ser más breves cuando ello sea necesario para proteger la independencia de la autoridad de control por medio de un procedimiento de nombramientos espaciados;

e) el carácter renovable o no del mandato del miembro o miembros de cada autoridad de control y, en su caso, el número de veces que podrá renovarse;

f) las condiciones por las que se rigen las obligaciones del miembro o miembros y del personal de cada autoridad de control, las prohibiciones relativas a acciones, ocupaciones y prestaciones incompatibles con el cargo durante el mandato y después del mismo y las normas que rigen el cese en el empleo.

2. El miembro o miembros y el personal de cada autoridad de control estarán sujetos, conforme al Derecho de la Unión o del Estado miembro, al deber de secreto profesional, tanto durante su mandato como después del mismo, con relación a las informaciones confidenciales de las que hayan tenido conocimiento en el cumplimiento de sus funciones o el ejercicio de sus poderes. Durante su mandato, este deber de secreto profesional se aplicará en particular a la información que faciliten las personas físicas sobre infracciones de la presente Directiva.

Sección 2. Competencia, funciones y poderes

Artículo 45. *Competencia*

1. Los Estados miembros dispondrán que cada autoridad de control sea competente para desempeñar las funciones asignadas y ejercer los poderes que se le confieran de conformidad con la presente Directiva en el territorio de su Estado miembro.

2. Los Estados miembros dispondrán que cada autoridad de control no sea competente para controlar las operaciones de tratamiento efectuadas por los órganos jurisdiccionales en el ejercicio de su función judicial. Los Estados miembros podrán disponer que su autoridad de control no sea competente para controlar las operaciones de tratamiento efectuadas por otras autoridades judiciales independientes en el ejercicio de su función judicial.

Artículo 46. *Funciones*

1. Los Estados miembros dispondrán que cada autoridad de control esté facultada en su territorio para:

a) supervisar y hacer cumplir la aplicación de las disposiciones adoptadas con arreglo a la presente Directiva y sus medidas de ejecución;

b) promover la sensibilización y la comprensión del público acerca de los riesgos, normas, garantías y derechos relativos al tratamiento;

c) asesorar, con arreglo al Derecho de los Estados miembros, al Parlamento nacional, al Gobierno y a otras instituciones y organismos, acerca de las medidas legislativas y administrativas relativas a la protección de los derechos y libertades de las personas físicas con respecto al tratamiento;

d) promover la sensibilización de los responsables y encargados del tratamiento acerca de las obligaciones que les incumben en virtud de la presente Directiva;

e) previa solicitud, facilitar información a cualquier interesado en relación con el ejercicio de sus derechos en virtud de la presente Directiva y, en su caso, cooperar a tal fin con las autoridades de control de otros Estados miembros;

f) tratar las reclamaciones presentadas por un interesado o un organismo, organización o asociación de conformidad con el artículo 55, e investigar, en la medida oportuna, el motivo de la reclamación e informar al reclamante sobre el curso y el resultado de la investigación en un plazo razonable, en particular si fueran necesarias nuevas investigaciones o una coordinación más estrecha con otra autoridad de control;

g) controlar la licitud del tratamiento con arreglo a lo dispuesto en el artículo 17 e informar al interesado en un plazo razonable sobre el resultado del control, de conformidad con el artículo 17, apartado 3, o sobre los motivos por los que no se ha llevado a cabo;

h) cooperar, en particular compartiendo información, con otras autoridades de control y prestar asistencia mutua con el fin de velar por la coherencia en la aplicación y ejecución de la presente Directiva;

i) llevar a cabo investigaciones sobre la aplicación de la presente Directiva, en particular basándose en información recibida de otra autoridad de control u otra autoridad pública;

j) hacer un seguimiento de acontecimientos que sean de interés, en la medida en que tengan incidencia en la protección de datos personales, en particular el desarrollo de las tecnologías de la información y la comunicación;

k) prestar asesoramiento sobre las operaciones de tratamiento contempladas en el artículo 28, y

l) contribuir a las actividades del Comité Europeo de Protección de Datos.

2. Cada autoridad de control facilitará la presentación de las reclamaciones contempladas en el apartado 1, letra f), mediante medidas como el suministro de un formulario de reclamaciones que pueda también cumplimentarse por vía electrónica, sin excluir otros medios de comunicación.

3. El desempeño de las funciones de cada autoridad de control será gratuito para el interesado y para el delegado de protección de datos.

4. Cuando las solicitudes sean manifiestamente infundadas o excesivas, especialmente debido a su carácter repetitivo, la autoridad de control podrá cobrar una tasa razonable basada en los costes administrativos, o negarse a actuar respecto de la solicitud. La carga de la demostración del carácter manifiestamente infundado o excesivo de la solicitud recaerá en la autoridad de control.

Artículo 47. *Poderes*

1. Cada Estado miembro dispondrá por ley que su autoridad de control tenga poderes de investigación efectivos. Dichos poderes incluirán al menos el poder de obtener del responsable y del encargado

del tratamiento el acceso a todos los datos personales que se están tratando y a toda la información necesaria para el desempeño de sus funciones.

2. Cada Estado miembro dispondrá por ley que su autoridad de control tenga poderes correctivos efectivos como, por ejemplo:

a) formular a todo responsable o encargado del tratamiento una advertencia cuando las operaciones de tratamiento previstas puedan infringir las disposiciones adoptadas con arreglo a la presente Directiva;

b) ordenar al responsable o encargado del tratamiento que haga conformes las operaciones de tratamiento a las disposiciones adoptadas con arreglo a la presente Directiva, si procede, de una determinada manera y dentro de un plazo especificado, en particular ordenando la rectificación o la supresión de datos personales, o la limitación de su tratamiento con arreglo al artículo 16;

c) imponer una limitación temporal o definitiva del tratamiento, incluida su prohibición.

3. Cada Estado miembro dispondrá por ley que su autoridad de control tenga poderes consultivos efectivos para asesorar al responsable del tratamiento conforme al procedimiento de consulta previa contemplado en el artículo 28 y emitir, por iniciativa propia o previa solicitud, dictámenes destinados al Parlamento nacional y su Gobierno o, conforme al Derecho del Estado miembro, a otras instituciones y organismos, así como al público, sobre cualquier asunto relacionado con la protección de los datos personales.

4. El ejercicio de los poderes conferidos a la autoridad de control en virtud del presente artículo estará sujeto a las garantías adecuadas, incluida la tutela judicial efectiva y al respeto de las garantías procesales, establecidas en el Derecho de la Unión y del Estado miembro de conformidad con la Carta.

5. Cada Estado miembro dispondrá por ley que su autoridad de control esté facultada para poner en conocimiento de las autoridades

judiciales las infracciones de la presente Directiva y, si procede, para iniciar o ejercitar de otro modo acciones judiciales, con el fin de hacer cumplir las disposiciones adoptadas con arreglo a la presente Directiva.

Artículo 48. *Notificación de infracciones*

Los Estados miembros dispondrán que las autoridades competentes establezcan mecanismos eficaces que fomenten la notificación confidencial de infracciones a la presente Directiva.

Artículo 49. *Informe de actividad*

Cada autoridad de control elaborará un informe anual sobre sus actividades, que podrá incluir una lista de los tipos de infracciones notificadas y de tipos de las sanciones impuestas. Los informes se transmitirán al Parlamento nacional, al Gobierno y a las demás autoridades designadas en virtud del Derecho del Estado miembro. Se pondrán a disposición del público, de la Comisión y del Comité Europeo de Protección de Datos.

CAPÍTULO VII. Cooperación

Artículo 50. *Asistencia mutua*

1. Los Estados miembros dispondrán que sus autoridades de control se faciliten entre sí información útil y se presten asistencia mutua a fin de aplicar la presente Directiva de manera coherente, y tomarán medidas para asegurar una efectiva cooperación entre ellas. La asistencia mutua abarcará, en particular, las solicitudes de información y las medidas de control, como las solicitudes para llevar a cabo consultas, inspecciones e investigaciones.

2. Los Estados miembros dispondrán que cada autoridad de control adopte todas las medidas apropiadas requeridas para responder a la solicitud de otra autoridad de control sin dilación indebida y a más tardar en el plazo de un mes tras haber recibido la solicitud. Dichas medidas

podrán incluir, en particular, la transmisión de información pertinente sobre el desarrollo de una investigación.

3. Las solicitudes de asistencia deberán contener toda la información necesaria, entre otras cosas respecto de la finalidad y los motivos de la solicitud. La información que se intercambie se utilizará únicamente para el fin para el que haya sido solicitada.

4. La autoridad de control requerida no podrá negarse a responder a una solicitud, salvo si:

a) no es competente en relación con el objeto de la solicitud o con las medidas cuya ejecución se solicita, o

b) el hecho de atender la solicitud infringiría la presente Directiva o el Derecho de la Unión o del Estado miembro al que esté sujeta la autoridad de control que haya recibido la solicitud.

5. La autoridad de control requerida informará a la autoridad de control requirente de los resultados obtenidos o, en su caso, de los progresos registrados o de las medidas adoptadas para responder a su solicitud. La autoridad de control requerida explicará los motivos de su negativa a responder a una solicitud al amparo del apartado 4.

6. Como norma general, las autoridades de control requeridas facilitarán la información solicitada por otras autoridades de control por vía electrónica, utilizando un formato normalizado.

7. Las autoridades de control requeridas no cobrarán tasa alguna por las medidas adoptadas a raíz de una solicitud de asistencia mutua. Las autoridades de control podrán convenir normas de indemnización recíproca por gastos específicos derivados de la prestación de asistencia mutua en circunstancias excepcionales.

8. La Comisión podrá especificar, mediante actos de ejecución, el formato y los procedimientos de asistencia mutua contemplados en el presente artículo, así como las modalidades del intercambio de información por vía electrónica entre las autoridades de control y entre las autoridades de control y el Comité Europeo de Protección de Datos.

Dichos actos de ejecución se adoptarán con arreglo al procedimiento de examen contemplado en el artículo 58, apartado 2.

Artículo 51. *Funciones del Comité Europeo de Protección de Datos*

1. El Comité Europeo de Protección de Datos creado por el Reglamento (UE) 2016/679 ejercerá, dentro del ámbito de aplicación de la presente Directiva, las siguientes funciones en relación con el tratamiento de datos:

a) asesorará a la Comisión sobre toda cuestión relativa a la protección de datos personales en la Unión, en particular sobre cualquier propuesta de modificación de la presente Directiva;

b) examinará, a iniciativa propia o a instancia de uno de sus miembros o de la Comisión, cualquier cuestión relativa a la aplicación de la presente Directiva, y emitirá directrices, recomendaciones y buenas prácticas, a fin de promover la aplicación coherente de la presente Directiva;

c) formulará directrices para las autoridades de control, relativas a la aplicación de las medidas contempladas en el artículo 47, apartados 1 y 3;

d) emitirá directrices, recomendaciones y buenas prácticas, con arreglo a la letra b) del presente párrafo a fin de establecer las violaciones de la seguridad de los datos personales y determinar la dilación indebida que contempla el artículo 30, apartados 1 y 2, así como las circunstancias particulares en las que el responsable o el encargado del tratamiento debe notificar la violación de la seguridad de los datos personales;

e) emitirá directrices, recomendaciones y buenas prácticas, con arreglo a la letra b) del presente párrafo en cuanto a las circunstancias en las que sea probable que la violación de la seguridad de los datos personales vaya a tener como resultado un alto riesgo para los derechos y libertades de las personas físicas a tenor del artículo 31, apartado 1;

f) **examinará la aplicación práctica de las directrices, recomendaciones y buenas prácticas**[21];

g) facilitará a la Comisión un dictamen para evaluar la adecuación del nivel de protección en un tercer país, un territorio o uno o varios sectores específicos en un tercer país o una organización internacional, incluso para evaluar si dicho tercer país, territorio, sector específico u organización internacional han dejado de garantizar un nivel de protección adecuado;

h) promoverá la cooperación y los intercambios bilaterales y multilaterales efectivos de información y de buenas prácticas entre las autoridades de control;

i) promoverá programas de formación comunes y facilitará los intercambios de personal entre las autoridades de control y, cuando proceda, con las autoridades de control de terceros países o con organizaciones internacionales;

j) promoverá el intercambio de conocimientos y documentación sobre legislación y prácticas en materia de protección de datos con las autoridades de control encargadas de la protección de datos a escala mundial.

Respecto del párrafo primero, letra g), la Comisión facilitará al Comité Europeo de Protección de Datos toda la documentación necesaria, incluida la correspondencia con el gobierno del tercer país, el territorio o el sector específico en dicho tercer país, o la organización internacional.

2. Cuando la Comisión solicite asesoramiento del Comité Europeo de Protección de Datos podrá señalar un plazo teniendo en cuenta la urgencia del asunto.

---

[21] Corrección de errores, Diario Oficial de la Unión Europea L 127/8, de 23 de mayo de 2018.
https://eur-lex.europa.eu/legal-content/ES/TXT/HTML/?uri=CELEX:32016L0680R(01)&from=ES

3. El Comité Europeo de Protección de Datos transmitirá sus dictámenes, directrices, recomendaciones y buenas prácticas a la Comisión y al comité contemplado en el artículo 58, apartado 1, y los hará públicos.

4. La Comisión informará al Comité Europeo de Protección de Datos de las medidas que haya adoptado siguiendo los dictámenes, directrices, recomendaciones y buenas prácticas emitidos por dicho Comité.

CAPÍTULO VIII. Recursos, responsabilidad y sanciones

Artículo 52. *Derecho a presentar una reclamación ante una autoridad de control*

1. Sin perjuicio de cualquier otro recurso administrativo o acción judicial, los Estados miembros dispondrán que todo interesado tenga derecho a presentar una reclamación ante una única autoridad de control, si considera que el tratamiento de sus datos personales infringe las disposiciones adoptadas en virtud de la presente Directiva.

2. Los Estados miembros dispondrán que, si la reclamación no se presenta ante la autoridad de control que sea competente según el artículo 45, apartado 1, la autoridad de control ante la que se haya presentado la reclamación la transmita a la autoridad de control competente sin dilación indebida. Se informará al interesado de la transmisión.

3. Los Estados miembros dispondrán que la autoridad de control ante la que se haya presentado la reclamación proporcione asistencia adicional a petición del interesado.

4. La autoridad de control competente informará al interesado sobre el curso y el resultado de la reclamación, inclusive sobre la posibilidad de la tutela judicial en virtud del artículo 53.

Artículo 53. *Derecho a la tutela judicial efectiva contra una autoridad de control*

1. Sin perjuicio de cualquier otro recurso administrativo o extrajudicial, los Estados miembros dispondrán que toda persona física o

jurídica tenga derecho a la tutela judicial efectiva contra una decisión jurídicamente vinculante de una autoridad de control que le concierna.

2. Sin perjuicio de cualquier otro recurso administrativo o extrajudicial, todo interesado tendrá derecho a la tutela judicial efectiva en caso de que la autoridad de control competente con arreglo al artículo 45, apartado 1, no dé curso a una reclamación o no informe al interesado en el plazo de tres meses sobre el curso o el resultado de la reclamación presentada en virtud del artículo 52.

3. Los Estados miembros dispondrán que las acciones contra una autoridad de control deban ejercitarse ante los órganos jurisdiccionales del Estado miembro en que esté establecida la autoridad de control.

Artículo 54. *Derecho a la tutela judicial efectiva contra el responsable o el encargado del tratamiento*

Sin perjuicio de los recursos administrativos o extrajudiciales disponibles, incluido el derecho a presentar una reclamación ante una autoridad de control con arreglo al artículo 52, los Estados miembros reconocerán el derecho que asiste a todo interesado a la tutela judicial efectiva si considera que sus derechos establecidos en disposiciones adoptadas con arreglo a la presente Directiva han sido vulnerados como consecuencia de un tratamiento de sus datos personales no conforme con esas disposiciones.

Artículo 55. *Representación de los interesados*

Los Estados miembros, de conformidad con el Derecho procesal del Estado miembro, dispondrán que el interesado tenga derecho a dar mandato a una entidad, organización o asociación sin ánimo de lucro, que haya sido correctamente constituida con arreglo al Derecho del Estado miembro, cuyos objetivos estatutarios sean de interés público y que actúe en el ámbito de la protección de los derechos y libertades de los interesados en materia de protección de sus datos personales, para que presente la reclamación en su nombre y ejerza los derechos contemplados en los artículos 52, 53 y 54 en su nombre.

Artículo 56. *Derecho a indemnización*

Los Estados miembros dispondrán que toda persona que haya sufrido daños y perjuicios materiales o inmateriales como consecuencia de una operación de tratamiento ilícito o de cualquier acto que vulnere las disposiciones nacionales adoptadas con arreglo a la presente Directiva tenga derecho a recibir una indemnización del responsable o de cualquier autoridad competente en virtud del Derecho del Estado miembro por los daños y perjuicios sufridos.

Artículo 57. *Sanciones*

Los Estados miembros establecerán las normas en materia de sanciones aplicables a las infracciones de las disposiciones adoptadas con arreglo a la presente Directiva y tomarán todas las medidas necesarias para garantizar su cumplimiento. Las sanciones establecidas serán efectivas, proporcionadas y disuasorias.

CAPÍTULO IX. Actos de ejecución

Artículo 58. *Procedimiento de comité*

1. La Comisión estará asistida por el comité establecido por el artículo 93 del Reglamento (UE) 2016/679. Dicho comité será un comité en el sentido del Reglamento (UE) n.º 182/2011.

2. Cuando se haga referencia al presente apartado, se aplicará el artículo 5 del Reglamento (UE) n.º 182/2011.

3. Cuando se haga referencia al presente apartado, se aplicará el artículo 8 del Reglamento (UE) n.º 182/2011, en relación con su artículo 5.

CAPÍTULO X. Disposiciones finales

Artículo 59. *Derogación de la Decisión Marco 2008/977/JAI*

1. Queda derogada la Decisión Marco 2008/977/JAI del Consejo con efecto a partir del 6 de mayo de 2018.

2. Las referencias a la Decisión derogada que se menciona en el apartado 1 se entenderán hechas a la presente Directiva.

Artículo 60. *Actos jurídicos de la Unión en vigor*

Las disposiciones específicas relativas a la protección de datos personales en actos jurídicos de la Unión que entraron en vigor antes del 6 de mayo de 2016 en el ámbito de la cooperación judicial en materia penal y de la cooperación policial, que regulen el tratamiento entre los Estados miembros y el acceso de autoridades designadas de los Estados miembros a los sistemas de información establecidos con arreglo a lo dispuesto en los Tratados en el ámbito de la presente Directiva no se verán afectadas.

Artículo 61. *Relación con acuerdos internacionales celebrados con anterioridad en el ámbito de la cooperación judicial en materia penal y de la cooperación policial*

Los acuerdos internacionales que impliquen la transferencia de datos personales a terceros países u organizaciones internacionales que hubieren sido celebrados por los Estados miembros antes del 6 de mayo de 2016 y que cumplan lo dispuesto en el Derecho de la Unión aplicable antes de dicha fecha seguirán en vigor hasta que sean modificados, sustituidos o revocados.

Artículo 62. *Informes de la Comisión*

1. A más tardar el 6 de mayo de 2022 y posteriormente cada cuatro años, la Comisión presentará al Parlamento Europeo y al Consejo un informe sobre la evaluación y revisión de la presente Directiva. Los informes se harán públicos.

2. En el marco de las evaluaciones y revisiones a que se refiere el apartado 1, la Comisión estudiará en particular la aplicación y el funcionamiento del capítulo V sobre la transferencia de datos personales a terceros países u organizaciones internacionales, prestando especial atención a las decisiones adoptadas en virtud del artículo 36, apartado 3, y del artículo 39.

3. A los efectos de los apartados 1 y 2, la Comisión podrá solicitar información a los Estados miembros y a las autoridades de control.

4. Al realizar las evaluaciones y revisiones a que hacen referencia los apartados 1 y 2, la Comisión tendrá en cuenta las posiciones y las conclusiones del Parlamento Europeo, del Consejo y de los demás órganos o fuentes pertinentes.

5. La Comisión presentará, si procede, las propuestas oportunas para modificar la presente Directiva, en particular teniendo en cuenta la evolución de las tecnologías de la información y a la luz de los progresos de la sociedad de la información.

6. Antes del 6 de mayo de 2019, la Comisión revisará otros actos jurídicos adoptados por la Unión que regulen el tratamiento por parte de las autoridades competentes a los efectos expuestos en el artículo 1, apartado 1, con inclusión de los actos a que se refiere el artículo 60, a fin de evaluar la necesidad de aproximarlos a las disposiciones de la presente Directiva, y presentará, en su caso, las propuestas necesarias para modificar dichos actos para garantizar un enfoque coherente de la protección de datos personales en el ámbito de aplicación de la presente Directiva.

Artículo 63. *Transposición*

1. Los Estados miembros adoptarán y publicarán, a más tardar el 6 de mayo de 2018, las disposiciones legales, reglamentarias y administrativas necesarias para dar cumplimiento a lo establecido en la presente Directiva. Comunicarán inmediatamente a la Comisión el texto de dichas disposiciones. Aplicarán dichas disposiciones a partir del 6 de mayo de 2018.

Cuando los Estados miembros adopten dichas disposiciones, estas harán referencia a la presente Directiva o irán acompañadas de dicha referencia en su publicación oficial. Los Estados miembros establecerán las modalidades de la mencionada referencia.

2. No obstante lo dispuesto en el apartado 1, los Estados miembros podrán disponer que excepcionalmente y cuando suponga un esfuerzo

desproporcionado, los sistemas de tratamiento automatizado estable-cidos con anterioridad al 6 de mayo de 2016 sean conformes con el artículo 25, apartado 1, antes del 6 de mayo de 2023.

3. No obstante lo dispuesto en los apartados 1 y 2 del presente artículo, en circunstancias excepcionales, un Estado miembro podrá adaptar al artículo 25, apartado 1, un sistema de tratamiento automa-tizado a que se refiere el apartado 2 del presente artículo dentro de un plazo determinado después del período previsto en el apartado 2 del presente artículo, si de no hacer así surgieran serias dificultades para el funcionamiento de ese sistema de tratamiento automatizado concre-to. Notificará a la Comisión los motivos de esas serias dificultades así como los del período específico dentro del cual adaptará ese sistema de tratamiento automatizado concreto a lo dispuesto en el artículo 25, apartado 1. En cualquier caso, el período determinado no podrá ser posterior al 6 de mayo de 2026.

4. Los Estados miembros comunicarán a la Comisión el texto de las principales disposiciones de Derecho interno que adopten en el ámbito regulado por la presente Directiva.

Artículo 64. *Entrada en vigor*

La presente Directiva entrará en vigor el día siguiente al de su publicación en el Diario Oficial de la Unión Europea.

Artículo 65. *Destinatarios*

Los destinatarios de la presente Directiva son los Estados miem-bros.

Hecho en Bruselas, el 27 de abril de 2016.

Por el Parlamento Europeo

El Presidente

M. SCHULZ

Por el Consejo

La Presidenta

J. A. HENNIS-PLASSCHAERT

§ 2. Ley Orgánica 7/2021, de 26 de mayo, de protección de datos personales tratados para fines de prevención, detección, investigación y enjuiciamiento de infracciones penales y de ejecución de sanciones penales[1]

Índice

---

[1] Publicada en el BOE núm. 126, de 27 de mayo de 2021.
Permalink ELI: https://www.boe.es/eli/es/lo/2021/05/26/7/con

Sección 2.ª Tratamiento de datos personales en el ámbito de la videovigilancia por Fuerzas y Cuerpos de Seguridad

CAPÍTULO III. Derechos de las personas

Sección 1.ª Régimen general

Sección 2.ª Régimen especial

CAPÍTULO IV. Responsable y encargado de tratamiento

Sección 1.ª Obligaciones generales

Sección 2.ª Seguridad de los datos personales

Sección 3.ª Delegado de protección de datos

CAPÍTULO V. Transferencias de datos personales a terceros países que no sean miembros de la Unión Europea o a organizaciones internacionales

CAPÍTULO VI. Autoridades de Protección de Datos Independientes

CAPÍTULO VII. Reclamaciones

CAPÍTULO VIII. Régimen sancionador

Disposiciones adicionales

Disposición transitoria

Disposición derogatoria

Disposiciones finales

§ 2. Ley Orgánica 7/2021, de 26 de mayo, de protección de datos personales tratados para fines de prevención, detección, investigación y enjuiciamiento de infracciones penales y de ejecución de sanciones penales[2]

FELIPE VI
REY DE ESPAÑA

A todos los que la presente vieren y entendieren.

Sabed: Que las Cortes Generales han aprobado y Yo vengo en sancionar la siguiente ley orgánica:

Preámbulo

I

La Unión Europea es un espacio en el que los estándares y las garantías de protección de los derechos de las personas físicas a la protección de los datos personales se encuentran en la vanguardia internacional y constituyen un referente mundial. El rápido desarrollo tecnológico, especialmente de Internet, así como la creciente globalización de la economía mundial y europea han hecho imprescindible abordar la reforma del marco jurídico de la protección de datos, al objeto de consolidar e incluso mejorar este elevado nivel de protección a través de la creación de un marco legislativo nuevo, adaptado a la realidad cambiante, al tiempo que sólido, coherente e integral. En definitiva, un entorno normativo para un mundo globalizado y digital.

---

[2] Publicada en el BOE núm. 126, de 27 de mayo de 2021.
Permalink ELI: https://www.boe.es/eli/es/lo/2021/05/26/7/con

En este sentido, la Comunicación de la Comisión Europea «Un enfoque global de la protección de los datos personales en la Unión Europea», de 4 de noviembre de 2010, precedida de un intenso periodo de consultas durante más de dos años con los Estados miembros, el público en general, así como con los distintos sectores afectados, sentó las bases de lo que sería esta nueva perspectiva normativa.

El marco normativo resultante consta, principalmente, de dos instrumentos: el Reglamento (UE) 2016/679 del Parlamento Europeo y del Consejo, de 27 de abril de 2016, relativo a la protección de las personas físicas en lo que respecta al tratamiento de datos personales y a la libre circulación de estos datos y por el que se deroga la Directiva 95/46/CE (Reglamento General de Protección de Datos), que sustituye a una norma vigente desde hacía más de veinte años, y la Directiva (UE) 2016/680 del Parlamento Europeo y del Consejo, de 27 de abril de 2016, relativa a la protección de las personas físicas en lo que respecta al tratamiento de datos personales por parte de las autoridades competentes para fines de prevención, investigación, detección o enjuiciamiento de infracciones penales o de ejecución de sanciones penales, y a la libre circulación de dichos datos y por la que se deroga la Decisión Marco 2008/977/JAI del Consejo.

En nuestro ordenamiento jurídico, la Ley Orgánica 3/2018, de 5 de diciembre, de Protección de Datos Personales y garantía de los derechos digitales, adaptó el Reglamento General de Protección de Datos, en lo que respecta al tratamiento de los datos personales y a la libre circulación de estos datos.

II

La Directiva (UE) 2016/680 del Parlamento Europeo y del Consejo, de 27 de abril de 2016, objeto de transposición por esta Ley Orgánica, deroga la Decisión Marco 2008/977/JAI del Consejo, de 27 de noviembre de 2008, relativa a la protección de datos personales tratados en el marco de la cooperación policial y judicial en materia penal, que había sido superada por varias razones.

En primer lugar, se trataba de una norma previa al Tratado de Lisboa que requería de su oportuna adaptación a los nuevos Tratados, en particular, al artículo 16 del Tratado de Funcionamiento de la Unión Europea, que exige que el Consejo y el Parlamento Europeo, a través del procedimiento legislativo ordinario, regulen la protección de los datos personales.

En segundo término, la decisión marco se aprobó conforme a la estructura de pilares de la Unión Europea, previa al Tratado de Lisboa, por lo que contaba con un ámbito de aplicación limitado exclusivamente al tratamiento de datos personales de carácter transfronterizo entre los Estados miembros, sin alcanzar, por tanto, a los tratamientos de carácter estrictamente nacional.

Asimismo, otorgaba una amplísima capacidad de maniobra a los Estados miembros, sin asegurar un nivel mínimo de armonización deseable en determinados ámbitos, como el reconocimiento en todos los Estados del derecho de acceso de los interesados a sus propios datos, el principio del tratamiento de los datos para fines determinados o las condiciones para las transferencias internacionales.

En definitiva, la fragmentación y complejidad de la regulación en este campo perjudicaba la necesaria confianza entre los actores de la cooperación policial y judicial penal en Europa, quienes mostraban recelos a compartir información, entre otros motivos, por la ausencia de una mínima armonización en cuanto a la protección de los datos de carácter personal; unos datos que resultan esenciales en el terreno de la cooperación operativa.

III

La Directiva (UE) 2016/680 del Parlamento Europeo y del Consejo, de 27 de abril de 2016, subsana estas deficiencias, ampliando su ámbito de aplicación al tratamiento nacional de los datos personales en el espacio de la cooperación policial y judicial penal. Toda vez que cubre otras carencias de la normativa europea anterior, dado que incluye la regulación de los datos genéticos —que reclamaba el Tribunal Europeo de Derechos Humanos—, así como la distinción entre los datos personales según su grado de exactitud y fiabilidad, o la diferenciación entre distintas categorías de interesados.

Resulta pertinente poner de relieve que la citada directiva que transpone esta Ley Orgánica se aprobó como respuesta a las crecientes amenazas para la seguridad en el contexto nacional e internacional, que tienen, en numerosos casos, un componente transfronterizo. Por esta razón, la cooperación internacional y la transmisión de información de carácter personal entre los servicios policiales y judiciales de los países implicados se convierten en un objetivo ineludible. En efecto, los atentados terroristas de Nueva York en 2001 supusieron un punto de inflexión en la necesidad de reforzar la cooperación judicial y policial en la lucha contra el terrorismo, como volvería a ponerse de manifiesto con ocasión de los atentados de Bruselas y Niza en 2016.

La cooperación encaminada a compartir a tiempo la información operativa precisa se erige en un requisito de eficacia en la prevención y lucha contra este tipo de amenazas. Todo ello, teniendo en cuenta el estado de la técnica, que permite, en la actualidad, tratamientos de datos a gran escala en el ámbito de la seguridad.

Este intercambio de información debe realizarse, en todo caso, de manera que se garanticen los principios democráticos y la seguridad de las personas a lo largo de las fases del tratamiento.

En consecuencia, esta Ley Orgánica asume la finalidad de lograr un elevado nivel de protección de los derechos de la ciudadanía, en general, y de sus datos personales, en particular, que resulte homologable al del resto de los Estados miembros de la Unión Europea, incorporando y concretando las reglas que establece la directiva.

En este sentido, la Constitución española fue precursora del reconocimiento y la defensa del derecho fundamental a la protección de datos personales. Así, el artículo 18.4 de nuestra norma fundamental dispone que la ley limitará el uso de la informática para garantizar el honor y la intimidad personal y familiar de la ciudadanía y el pleno ejercicio de sus derechos. El Tribunal Constitucional, en reiterada jurisprudencia, entiende la protección de datos como un derecho fundamental que garantiza a toda persona la capacidad de controlar el uso y destino de sus datos, con el propósito de evitar el tráfico ilícito o lesivo de los mismos o una utilización para fines distintos de los que justificaron su obtención.

Por todo ello, la transposición de esta directiva por los Estados miembros supone el establecimiento de un marco jurídico consistente, que proporciona la seguridad jurídica necesaria para facilitar la cooperación policial y judicial penal y, por tanto, una mayor eficacia en el desempeño de sus funciones por las Fuerzas y Cuerpos de Seguridad y de nuestro sistema judicial penal en su conjunto, incluido el penitenciario.

IV

Esta Ley Orgánica consta de sesenta y cinco artículos estructurados en ocho capítulos, cinco disposiciones adicionales, una disposición transitoria, una disposición derogatoria y doce disposiciones finales.

El capítulo I, relativo a las disposiciones generales, define el objeto de la Ley Orgánica, entendiéndose como la regulación del tratamiento de los datos personales para fines de prevención, detección, investigación y enjuiciamiento de infracciones penales y de ejecución de sanciones penales, incluida la protección y de prevención frente a las amenazas contra la seguridad pública, cuando dicho tratamiento se lleve a cabo por los órganos que, a efectos de esta Ley Orgánica, tengan la consideración de autoridades competentes.

La finalidad principal es que los datos sean tratados por estas autoridades competentes de manera que se cumplan los fines prevenidos a la par que establecer los mayores estándares de protección de los derechos fundamentales y las libertades de los ciudadanos, de forma que se cumpla lo dispuesto en el artículo 8, apartado 1, de la Carta de los Derechos Fundamentales de la Unión Europea, así como en el artículo 16, apartado 1, del Tratado de Funcionamiento de la Unión Europea y el artículo 18.4 de la Constitución.

Asimismo, en correspondencia con lo que dispone el artículo 22.6 de la Ley Orgánica 3/2018, de 5 de diciembre, cuando el tratamiento de los datos personales se realice para alguno de los fines establecidos en esta Ley Orgánica y proceda de las imágenes y sonidos obtenidos mediante la utilización de cámaras y videocámaras por las Fuerzas y Cuerpos de Seguridad, o bien se lleve a cabo por los órganos competentes para la vigilancia y control en los centros penitenciarios o para el control, regulación, vigilancia y disciplina del tráfico, dichos tratamientos se regularán por las disposiciones de esta Ley Orgánica complementándose, en lo que no resulte contrario a su contenido, con la normativa vigente que regula estos ámbitos. De este modo, se establece un nuevo sistema que gira en torno a las obligaciones de los responsables del tratamiento y a las distintas misiones que se les asignan.

Aunque se deben excluir con carácter general, se incluyen igualmente algunas previsiones específicas para el tratamiento de los datos de personas fallecidas a similitud de lo que se dispone en la precitada Ley Orgánica 3/2018, de 5 de diciembre.

Las autoridades competentes, a efectos de esta Ley Orgánica, se definen como autoridades públicas con competencias legalmente encomendadas para la consecución de los fines específicos incluidos en el ámbito de aplicación. En concreto, se determina que serán autoridades competentes: las Fuerzas y Cuerpos de Seguridad; las autoridades judiciales del orden jurisdiccional penal y el Ministerio Fiscal; las Administraciones Penitenciarias; la Dirección Adjunta de Vigilancia Aduanera; el Servicio Ejecutivo de la Comisión de Prevención del Blanqueo de Capitales e Infracciones Monetarias; y la Comisión de Vigilancia de Actividades de Financiación del Terrorismo. Todo ello, sin perjuicio de que los tratamientos que se lleven a cabo por los órganos jurisdiccionales se rijan por lo dispuesto en esta Ley Orgánica, en la Ley Orgánica 6/1985, de 1 de julio, del Poder Judicial, y en las leyes procesales penales.

Se excluyen expresamente del ámbito de aplicación ciertos tratamientos, como los realizados por las autoridades competentes para fines distintos de los cubiertos por la Ley Orgánica; los llevados a cabo por los órganos de la Administración General del Estado en el marco de las actividades comprendidas en el ámbito del capítulo II del título V del Tratado de la Unión Europea, en relación a la Política Exterior y de Seguridad Común; los derivados de una actividad no comprendida en el ámbito de aplicación del Derecho de la Unión Europea; y los sometidos a la normativa sobre materias clasificadas. Entre estos últimos se mencionan expresamente como incluidos los tratamientos relativos a la Defensa Nacional.

El capítulo II se refiere a los principios de protección de datos cuya garantía corresponde al responsable del tratamiento. Estos principios se regulan en términos similares a lo establecido en el Reglamento General de Protección de Datos, con algunas especialidades propias del ámbito de esta Ley Orgánica.

Se incluye un deber de colaboración con las autoridades competentes, según el cual, salvo que legalmente sea exigible una autorización judicial, las Administraciones Públicas o cualquier persona física o jurídica deberá proporcionar a las autoridades judiciales, al Ministerio Fiscal o a la Policía Judicial la información necesaria para la investigación o enjuiciamiento de infracciones penales o la ejecución de las penas y la información necesaria para la protección y prevención frente a un peligro real y grave para la seguridad pública. Todo ello, con la obligación de no informar al interesado de dichos tratamientos ulteriores. Esta última precisión resulta fundamental para evitar que la puesta de la información a disposición del interesado pueda poner en peligro los fines que, de acuerdo con la directiva y esta Ley Orgánica, justifican el tratamiento de los datos.

Se regulan, también, los plazos de conservación y de revisión de los datos de carácter personal tratados, siendo relevante el establecimiento de un plazo máximo de conservación de los datos con carácter general y la implantación de un sistema que permite al responsable revisar, en el plazo que el mismo establezca dentro del margen legal, la necesidad de conservar, limitar o suprimir el conjunto de los datos personales contenidos en cada una de sus actividades de tratamiento. El responsable deberá, en sus tratamientos, distinguir los datos que correspondan a las diversas categorías de interesados, tales como los sospechosos, los condenados o los sancionados, las víctimas o los terceros involucrados, así como diferenciar, en la medida de lo posible, si los datos que trata son datos basados en hechos o en apreciaciones.

Se exigen igualmente ciertas condiciones que determinan la licitud de todo tratamiento de datos de carácter personal, esto es, que sean tratados por las autoridades competentes; que resulten necesarios para los fines de esta Ley Orgánica y que, en caso necesario y en cada ámbito particular, se especifiquen las especialidades por una norma con rango de ley que incluya unos contenidos mínimos.

En el supuesto de transmisión de datos sujetos a condiciones específicas de tratamiento, dichas condiciones deberán ser respetadas por el destinatario de los mismos, en especial, la prohibición de transmitirlos o de utilizarlos para fines distintos para los que fueron transmitidos.

De igual modo, se exige que el tratamiento de categorías especiales de datos, como son los que revelen el origen étnico o racial, las opiniones políticas, las convicciones religiosas o filosóficas, la afiliación sindical o los genéticos o biométricos, sólo pueda tener lugar cuando sea estrictamente necesario y se cumplan ciertas condiciones.

Los datos biométricos (como las huellas dactilares o la imagen facial) sólo se consideran incluidos en esta categoría especial cuando su tratamiento está dirigido a identificar de manera unívoca a una persona física. Esta necesidad de identificación en las actuaciones amparadas legalmente se lleva a cabo, con frecuencia, por las distintas autoridades competentes. El propósito es singularizar los autores o partícipes de infracciones penales, así como poder reconocer si son las personas que se supone o se busca, y de esta forma, atribuir o exonerar, sin género de dudas, la participación en determinados hechos, gracias a posibles indicios o vestigios biométricos.

Habida cuenta de la vertiginosa evolución tecnológica y los medios electrónicos de los que se dispone, se incluye la habilitación legal que facilite una respuesta rápida y adecuada en el uso de estos datos, con el objetivo final de garantizar y proteger los derechos de los interesados y de la ciudadanía en general.

Se prohíbe, igualmente, la adopción de decisiones individuales automatizadas, incluida la elaboración de perfiles en este ámbito, salvo que esté autorizado por una norma con rango de ley del ordenamiento jurídico español o europeo.

El capítulo III, se divide en dos secciones y aborda los derechos de las personas. Regula una serie de condiciones generales del ejercicio de los derechos, tales como la obligación exigible al responsable de facilitar la información correspondiente a los derechos del interesado de forma concisa, con un lenguaje claro y sencillo y de manera gratuita. Se establece la información que debe ponerse a disposición del interesado, siendo algunos datos obligatorios, en todo caso, y otros en casos concretos.

Se reconocen los derechos de acceso, rectificación, supresión y limitación del tratamiento. En virtud de tales derechos se faculta al interesado a conocer si se están tratando o no sus datos y, en caso afirmativo, acceder a cierta información sobre el tratamiento; a obtener la rectificación de sus datos si estos resultaran inexactos; a suprimirlos cuando fueran contrarios a lo dispuesto en los artículos 6, 11 o 13, o cuando así lo requiera una obligación legal exigible al responsable; y a limitar el tratamiento, cuando el interesado ponga en duda la exactitud de los datos o estos datos deban conservarse únicamente a efectos probatorios.

Estos derechos podrán ser ejercidos por el interesado directamente o, en determinados casos, a través de la autoridad de protección de datos.

Dispone esta Ley Orgánica que estos derechos pueden ser restringidos por ciertas causas tasadas, como cuando sea necesario para evitar que se obstaculice una investigación o se ponga en peligro la seguridad pública o la seguridad nacional.

Se establece, en su sección segunda, un régimen especial de derechos de los interesados en el marco de investigaciones y procesos penales.

El capítulo IV recoge las obligaciones y responsabilidades de los responsables y encargados de protección de datos, las medidas de seguridad y la figura del delegado de protección de datos, a lo largo de tres secciones. El responsable del tratamiento, teniendo en cuenta la naturaleza, el ámbito, el contexto y los fines del tratamiento, así como los niveles de riesgo para los derechos y libertades de las personas físicas, aplicará las medidas técnicas y organizativas apropiadas.

El encargado del tratamiento llevará a cabo sus funciones por cuenta del responsable, debiendo ofrecer garantías para aplicar medidas técnicas y organizativas apropiadas.

Todo responsable y encargado del tratamiento deberá conservar un registro de actividades de tratamiento, con datos identificativos, tales como los datos de contacto del responsable, los fines o las categorías de interesados, y un registro de operaciones, pieza angular de este sistema e instrumento básico para acreditar el cumplimiento de varios de los principios de tratamiento, que comprenderá la recogida, la alteración, las consultas y las transferencias de los datos personales entre otras operaciones. Asimismo, están obligados a cooperar con la autoridad de protección de datos, en el marco de la legislación vigente.

Se establecen ciertas obligaciones que responden a un nuevo modelo de responsabilidad activa que exige una valoración previa del riesgo que pudiera generar el tratamiento de los datos de carácter personal para los interesados, para, a partir de dicha valoración, adoptar las medidas que procedan.

Se presta una atención detallada a la seguridad del tratamiento, regulándose alguna de las medidas de seguridad que se aplicarán, si bien solo se dispone como obligatoria la puesta en marcha del citado registro de operaciones como medida técnica y organizativa, siendo las demás las que el responsable determine como las más adecuadas para lograr el control que se le solicita en virtud del tipo de tratamiento que se esté llevando a cabo y del nivel de riesgo que se estime, tras el correspondiente análisis. Se impone, asimismo, el deber de notificación a la autoridad de protección de datos de cualquier violación de la seguridad que, con carácter general, deberá ser notificada al interesado, salvo en supuestos expresamente previstos en la ley.

El delegado de protección de datos se configura como el órgano o figura de asesoramiento y supervisión de los responsables de protección de datos, que podrá ser único para varias autoridades competentes y cuya designación será obligatoria salvo en relación con los tratamientos de datos con fines jurisdiccionales. En el caso de que se dispongan tratamientos que queden bajo distintos ámbitos de aplicación, con el fin de evitar disfunciones en las organizaciones de las autoridades competentes, se establece que la figura del delegado de protección de datos será única para todos ellos.

El capítulo V regula las transferencias de datos personales realizadas por las autoridades competentes españolas a un Estado que no sea miembro de la Unión Europea o a una organización internacional, incluidas las transferencias ulteriores a otro Estado que no pertenezca a la Unión Europea u otra organización internacional y se establecen las condiciones que deberán cumplirse para que estas sean lícitas.

Así, con el fin de garantizar que no se menoscabe el nivel de protección de las personas físicas previsto en esta Ley Orgánica, la transferencia respetará ciertas condiciones previstas en la misma. De este modo, sólo deben realizarse cuando sean necesarias para los fines de esta Ley Orgánica y cuando el responsable del tratamiento en el tercer país u organización internacional sea autoridad competente en relación a dichos fines.

Asimismo, cuando el dato se transfiere a un tercer país o a una organización internacional, la autoridad competente del Estado miembro en el que se obtuvo el dato, debe autorizar previamente esta transferencia y las ulteriores que puedan tener lugar a otro tercer país o a una organización internacional. En cuanto al tercer país u organización internacional destinatario de la trasferencia, deberá ser objeto de evaluación por la Comisión Europea a la vista de su nivel de protección de datos o, en caso de ausencia de decisión, debe entenderse por el responsable del tratamiento que ofrece garantías adecuadas. Sólo por las causas excepcionales previstas en esta Ley Orgánica se podrán autorizar transferencias fuera de estos supuestos. Este capítulo finaliza con la regulación de la transferencia internacional de datos personales a destinatarios que, no siendo autoridades competentes, están establecidos en terceros países.

El capítulo VI, relativo a las autoridades de protección de datos, dispone que dichas autoridades sean la Agencia Española de Protección de Datos y las Agencias Autonómicas de Protección de Datos, en sus respectivos ámbitos competenciales. Asimismo, la Ley Orgánica recoge sus potestades, funciones y la asistencia entre autoridades de protección de datos de los Estados miembros. Se remite en lo restante a la normativa que les resulte de aplicación.

El capítulo VII prevé que los procedimientos de reclamación que se planteen ante las autoridades de protección de datos se rijan por lo establecido en la Ley Orgánica 3/2018, de 5 de diciembre, o, en su caso, por la normativa reguladora de la autoridad de protección de datos correspondiente. Se refiere a aquellos supuestos en que los responsables o encargados del tratamiento, o de la autoridad de protección de datos, en su caso, incumplan esta Ley Orgánica y generen un daño o lesión en los bienes o derechos del interesado.

Este capítulo, además, aborda la responsabilidad de los responsables o encargados del tratamiento o de la autoridad de protección de datos, en su caso, cuando incumplan esta Ley Orgánica y se genere un daño o lesión en los bienes o derechos de un interesado. De igual modo, se detalla la forma de ejercer el derecho a la tutela judicial efectiva ante la jurisdicción contencioso-administrativa contra las decisiones de una autoridad de protección de datos que puedan entenderse que conciernen a los interesados.

Finalmente, el capítulo VIII regula el régimen sancionador específico aplicable ante incumplimientos de las obligaciones previstas en esta Ley Orgánica. Se definen los sujetos sobre los que recaerá la responsabilidad por las infracciones cometidas. Se determinan las reglas del concurso de normas para resolver los casos en los que un hecho pueda ser calificado con arreglo a dos o más de ellas, al tiempo que se tipifican las infracciones, que, en función de su gravedad, podrán ser leves, graves o muy graves. Por último, se establecen las sanciones que se pueden imponer, y se fijan los plazos de prescripción tanto de las infracciones como de las sanciones y de caducidad.

Las disposiciones adicionales se refieren a regímenes específicos, al intercambio de datos dentro de la Unión Europea, a los acuerdos internacionales en el ámbito de la cooperación judicial en materia penal y de la cooperación policial, y a los tratamientos que se efectúen en relación con los ficheros y al Registro de Población de las Administraciones Públicas.

Las disposiciones finales introducen las modificaciones necesarias en la Ley Orgánica 1/1979, de 26 de septiembre, General Penitenciaria, para adecuarla a las previsiones de esta Ley Orgánica en relación con los tratamientos para ejecución de la pena; en la Ley 50/1981, de 30 de diciembre; en la Ley Orgánica 6/1985, de 1 de julio; en la Ley Orgánica 3/2018, de 5 de diciembre; en la Ley Orgánica 1/2020, de 16 de septiembre, sobre la utilización de los datos del registro de nombres de pasajeros para la prevención, detección, investigación y enjuiciamiento de delitos de terrorismo y delitos graves en correspondencia con determinadas obligaciones de los operadores; en la Ley 19/2007, de 11 de julio, contra la violencia, el racismo, la xenofobia y la intolerancia en el deporte; en la Ley 5/2014, de 4 de abril, de Seguridad Privada para adecuar, en ambos casos, los plazos de caducidad de los expedientes sancionadores; y en el texto refundido de la Ley sobre Tráfico, Circulación de Vehículos a Motor y Seguridad Vial, aprobado por el Real Decreto Legislativo 6/2015, de 30 de octubre, para dar soporte legal específico a las matriculaciones por razones de Seguridad Nacional.

En la elaboración de esta Ley Orgánica se han observado los principios de necesidad, eficacia, proporcionalidad, seguridad jurídica, transparencia y eficiencia, exigidos por el artículo 129 de la Ley 39/2015, de 1 de octubre, del Procedimiento Administrativo Común de las Administraciones Públicas.

En primer lugar, se trata de una norma necesaria, dado que la transposición de la Directiva (UE) 2016/680 del Parlamento Europeo y del Consejo, de 27 de abril de 2016, exige una ley de carácter orgánico, al afectar la norma comunitaria a un derecho fundamental reconocido en el artículo 18 de la Constitución y por imperativo del artículo 81 de la misma. En este sentido, el artículo 18.4 de la Constitución dispone que la ley limitará el uso de la informática para garantizar el honor y la intimidad personal y familiar de la ciudadanía y el pleno ejercicio de sus derechos.

Esta Ley Orgánica, además, incorpora a nuestro ordenamiento interno los instrumentos que permitirán una eficaz protección de los datos de las personas físicas frente a su tratamiento por parte de las autoridades competentes con fines de prevención, detección, investigación o enjuiciamiento de infracciones penales o de ejecución de sanciones penales, incluidas la protección y la prevención frente a las amenazas contra la seguridad pública.

Por lo que respecta al principio de seguridad jurídica, en razón de la materia objeto de regulación, la transposición de la directiva se realiza mediante una Ley Orgánica, cuya tramitación e integración en el ordenamiento jurídico goza de las garantías que amparan las normas de esta naturaleza.

En cuanto al principio de proporcionalidad, esta Ley Orgánica contempla un importante número de garantías orientadas a que el tratamiento de datos personales sea proporcional, oportuno, mínimo y suficiente para el cumplimiento de los fines que se persiguen. En particular, su tratamiento se sujeta a los principios que rigen el tratamiento de datos personales, por lo que se exige que no sean tratados para otros fines distintos de los establecidos en la norma, salvo que dicho tratamiento esté autorizado por el Derecho de la Unión Europea o por nuestro Derecho interno. Cuando los datos personales sean tratados para otros fines que no sean los de la prevención, detección, investigación o enjuiciamiento de infracciones penales o de ejecución de sanciones penales, incluidas la protección y la prevención frente a las amenazas contra la seguridad pública, se aplicará el Reglamento General de Protección de Datos, a menos que el tratamiento se efectúe como parte de una actividad que quede fuera del ámbito de aplicación del Derecho de la Unión Europea.

Se cumple, también, el principio de transparencia, puesto que esta norma ha sido sometida a los correspondientes trámites de participación pública, esto es, el de consulta pública previa y el de audiencia e información pública.

En la tramitación de esta Ley Orgánica, además de los diversos Ministerios concernidos por razón de la materia, han emitido informe la Agencia Española de Protección de Datos; la Agencia Vasca de Protección de Datos; la Autoridad Catalana de Protección de Datos; el Consejo Fiscal; el Consejo General del Poder Judicial; los Departamentos de

Seguridad Pública del Gobierno Vasco y de Interior de la Generalidad de Cataluña; y finalmente el Consejo de Estado. Se trata, por tanto, de un texto en el cual se han incorporado las consideraciones de órganos tan relevantes como los expuestos.

Por último, esta Ley Orgánica se dicta al amparo de las reglas 1.ª, 6.ª, 18.ª y 29.ª del artículo 149.1 de la Constitución, que atribuyen al Estado las competencias exclusivas, respectivamente, para la regulación de las condiciones básicas que garanticen la igualdad de todos los españoles en el ejercicio de los derechos y en el cumplimiento de los deberes constitucionales; sobre legislación penal, penitenciaria y procesal; respecto a las bases del régimen jurídico de las Administraciones Públicas, el procedimiento administrativo común y en relación al sistema de responsabilidad de todas las Administraciones públicas; y en materia de seguridad pública.

CAPÍTULO I. Disposiciones generales

Artículo 1. *Objeto*

Esta Ley Orgánica tiene por objeto establecer las normas relativas a la protección de las personas físicas en lo que respecta al tratamiento de los datos de carácter personal por parte de las autoridades competentes, con fines de prevención, detección, investigación y enjuiciamiento de infracciones penales o de ejecución de sanciones penales, incluidas la protección y prevención frente a las amenazas contra la seguridad pública.

Artículo 2. *Ámbito de aplicación*

1. Será de aplicación al tratamiento total o parcialmente automatizado de datos personales, así como al tratamiento no automatizado de datos personales contenidos o destinados a ser incluidos en un fichero, realizado por las autoridades competentes, con fines de prevención, detección, investigación y enjuiciamiento de infracciones penales y de

ejecución de sanciones penales, incluidas la protección y prevención frente a las amenazas contra la seguridad pública.

2. El tratamiento de los datos personales llevado a cabo con ocasión de la tramitación por los órganos judiciales y fiscalías de las actuaciones o procesos de los que sean competentes, así como el realizado dentro de la gestión de la Oficina judicial y fiscal, en el ámbito del artículo 1, se regirá por lo dispuesto en la presente Ley Orgánica, sin perjuicio de las disposiciones de la Ley Orgánica 6/1985, de 1 de julio, del Poder Judicial, las leyes procesales que le sean aplicables y, en su caso, por la Ley 50/1981, de 30 de diciembre, por la que se regula el Estatuto Orgánico del Ministerio Fiscal. Las autoridades de protección de datos a las que se refiere el capítulo VI no serán competentes para controlar estas operaciones de tratamiento.

3. Quedan fuera del ámbito de aplicación de esta Ley Orgánica los siguientes tratamientos de datos personales:

a) Los realizados por las autoridades competentes para fines distintos de los previstos en el artículo 1, incluidos los fines de archivo por razones de interés público, investigación científica e histórica o estadísticos. Estos tratamientos se someterán plenamente a lo establecido en el Reglamento (UE) 2016/679 del Parlamento Europeo y del Consejo, de 27 de abril de 2016, relativo a la protección de las personas físicas en lo que respecta al tratamiento de datos personales y a la libre circulación de estos datos y por el que se deroga la Directiva 95/46/CE (Reglamento General de Protección de Datos), así como en la Ley Orgánica 3/2018, de 5 de diciembre, de protección de datos personales y garantía de los derechos digitales.

b) Los llevados a cabo por los órganos de la Administración General del Estado en el marco de las actividades comprendidas en el ámbito de aplicación del capítulo II del título V del Tratado de la Unión Europea.

c) Los tratamientos que afecten a actividades no comprendidas en el ámbito de aplicación del Derecho de la Unión Europea.

d) Los sometidos a la normativa sobre materias clasificadas, entre los que se encuentran los tratamientos relativos a la Defensa Nacional.

e) Los tratamientos realizados en las acciones civiles y procedimientos administrativos o de cualquier índole vinculados con los procesos penales que no tengan como objetivo directo ninguno de los fines del artículo 1.

4. Esta Ley Orgánica no se aplicará a los tratamientos de datos de personas fallecidas, sin perjuicio de lo establecido en el artículo siguiente.

Artículo 3. *Datos de personas fallecidas*

1. Las personas vinculadas al fallecido por razones familiares o de hecho, así como sus herederos, podrán dirigirse al responsable o encargado del tratamiento al objeto de solicitar el acceso, rectificación o supresión de los datos de aquel. Estos derechos se regularán de acuerdo con lo dispuesto en esta Ley Orgánica.

2. En caso de fallecimiento de menores, estas facultades podrán ejercerse también por sus representantes legales o, en el marco de sus competencias, por el Ministerio Fiscal, que podrá actuar de oficio o a instancia de cualquier persona interesada.

3. En caso de fallecimiento de personas con discapacidad, estas facultades también podrán ejercerse, además de por quienes señala el apartado anterior, por quienes hubiesen sido designados para el ejercicio de funciones de apoyo, si tales facultades se entendieran comprendidas en las medidas de apoyo prestadas por el designado.

Artículo 4. *Autoridades competentes*

1. Será autoridad competente, a los efectos de esta Ley Orgánica, toda autoridad pública que tenga competencias encomendadas legalmente para el tratamiento de datos personales con alguno de los fines previstos en el artículo 1.

En particular, tendrán esa consideración, en el ámbito de sus respectivas competencias, las siguientes autoridades:

a) Las Fuerzas y Cuerpos de Seguridad.

b) Las Administraciones Penitenciarias.

c) La Dirección Adjunta de Vigilancia Aduanera de la Agencia Estatal de Administración Tributaria.

d) El Servicio Ejecutivo de la Comisión de Prevención del Blanqueo de Capitales e Infracciones Monetarias.

e) La Comisión de Vigilancia de Actividades de Financiación del Terrorismo.

2. También tendrán consideración de autoridades competentes las Autoridades judiciales del orden jurisdiccional penal y el Ministerio Fiscal.

Artículo 5. *Definiciones*

A efectos de esta Ley Orgánica se entenderá por:

a) «datos personales»: toda información sobre una persona física identificada o identificable («el interesado»); se considerará persona física identificable a toda persona cuya identidad pueda determinarse, directa o indirectamente, en particular mediante un identificador, como por ejemplo un nombre, un número de identificación, unos datos de localización, un identificador en línea o uno o varios elementos propios de la identidad física, fisiológica, genética, psíquica, económica, cultural o social de dicha persona;

b) «tratamiento»: cualquier operación o conjunto de operaciones realizadas sobre datos personales o conjuntos de datos personales, ya sea por procedimientos automatizados o no, como la recogida, registro, organización, estructuración, conservación, adaptación o modificación, extracción, consulta, utilización, comunicación por transmisión, difusión o cualquier otra forma de habilitación de acceso, cotejo o interconexión, limitación, supresión o destrucción;

c) «limitación del tratamiento»: el marcado de los datos personales conservados con el fin de limitar su tratamiento en el futuro;

d) «elaboración de perfiles»: toda forma de tratamiento automatizado de datos personales consistente en utilizar datos personales para evaluar determinados aspectos personales de una persona física, en particular para analizar o predecir aspectos relativos al rendimiento profesional, situación económica, salud, preferencias personales, intereses, fiabilidad, comportamiento, ubicación o movimientos de dicha persona física;

e) «seudonimización»: el tratamiento de datos personales de manera tal que ya no puedan atribuirse a un interesado sin utilizar información adicional, siempre que dicha información adicional se mantenga por separado y esté sujeta a medidas técnicas y organizativas destinadas a garantizar que los datos personales no se atribuyan a una persona física identificada o identificable;

f) «fichero»: todo conjunto estructurado de datos personales, accesibles con arreglo a criterios determinados, ya sea centralizado, descentralizado o dispersado de forma funcional o geográfica;

g) «responsable del tratamiento» o «responsable»: la autoridad competente que sola o conjuntamente con otras, determine los fines y medios del tratamiento de datos personales; en caso de que los fines y medios del tratamiento estén determinados por el Derecho de la Unión Europea o por la legislación española, dichas normas podrán designar al responsable del tratamiento, o bien los criterios para su nombramiento;

h) «encargado del tratamiento» o «encargado»: la persona física o jurídica, autoridad pública, servicio u otro organismo que trate datos personales por cuenta del responsable del tratamiento;

i) «destinatario»: la persona física o jurídica, autoridad pública, servicio o cualquier otro organismo al que se comuniquen datos personales, se trate o no de un tercero. No obstante, no se considerará destinatarios las autoridades públicas que puedan recibir datos personales en el marco de una investigación concreta de conformidad con la legislación española o de la Unión Europea; el tratamiento de tales datos por las citadas autoridades públicas será conforme con las normas en materia de protección de datos aplicables a los fines del tratamiento;

j) «violación de la seguridad de los datos personales»: toda violación de la seguridad que ocasione la destrucción, pérdida o alteración accidental o ilícita, o la comunicación o acceso no autorizados a datos personales transmitidos, conservados o tratados de otra forma;

k) «datos genéticos»: datos personales relativos a las características genéticas heredadas o adquiridas de una persona física que proporcionen una información única sobre la fisiología o la salud de esa persona, obtenidos en particular del análisis de una muestra biológica de la persona física de que se trate;

l) «datos biométricos»: datos personales obtenidos a partir de un tratamiento técnico específico, relativos a las características físicas, fisiológicas o de conducta de una persona física que permitan o confirmen la identificación única de dicha persona, como imágenes faciales o datos dactiloscópicos;

m) «datos relativos a la salud»: datos personales relativos a la salud física o mental de una persona física, incluida la prestación de servicios de atención sanitaria, que revelen información sobre su estado de salud;

n) «organización internacional»: una organización internacional y sus entes subordinados de Derecho internacional público o cualquier otro organismo creado mediante un acuerdo entre dos o más países o en virtud de tal acuerdo.

CAPÍTULO II. Principios, licitud del tratamiento y videovigilancia

Sección 1.ª Principios y licitud del tratamiento

Artículo 6. *Principios relativos al tratamiento de datos personales*

1. Los datos personales serán:

a) Tratados de manera lícita y leal.

b) Recogidos con fines determinados, explícitos y legítimos, y no serán tratados de forma incompatible con esos fines.

c) Adecuados, pertinentes y no excesivos en relación con los fines para los que son tratados.

d) Exactos y, si fuera necesario, actualizados. Se adoptarán todas las medidas razonables para que se supriman o rectifiquen, sin dilación indebida, los datos personales que sean inexactos con respecto a los fines para los que son tratados.

e) Conservados de forma que permitan identificar al interesado durante un período no superior al necesario para los fines para los que son tratados.

f) Tratados de manera que se garantice una seguridad adecuada, incluida la protección contra el tratamiento no autorizado o ilícito y contra su pérdida, destrucción o daño accidental. Para ello, se utilizarán las medidas técnicas u organizativas adecuadas.

2. Los datos personales recogidos por las autoridades competentes no serán tratados para otros fines distintos de los establecidos en el artículo 1, salvo que dicho tratamiento esté autorizado por el Derecho de la Unión Europea o por la legislación española. Cuando los datos personales sean tratados para otros fines, se aplicará el Reglamento General de Protección de Datos y la Ley Orgánica 3/2018, de 5 de diciembre, a menos que el tratamiento se efectúe como parte de una actividad que quede fuera del ámbito de aplicación del Derecho de la Unión Europea.

3. Los datos personales podrán ser tratados por el mismo responsable o por otro, para fines establecidos en el artículo 1 distintos de aquel para el que hayan sido recogidos, en la medida en que concurran cumulativamente las dos circunstancias siguientes:

a) Que el responsable del tratamiento sea competente para tratar los datos para ese otro fin, de acuerdo con el Derecho de la Unión Europea o la legislación española.

b) Que el tratamiento sea necesario y proporcionado para la consecución de ese otro fin, de acuerdo con el Derecho de la Unión Europea o la legislación española.

4. El tratamiento por el mismo responsable o por otro podrá incluir el archivo por razones de interés público, y el uso científico, estadístico o histórico para los fines establecidos en el artículo 1, con sujeción a las garantías adecuadas para los derechos y libertades de los interesados.

5. El responsable del tratamiento deberá garantizar y estar en condiciones de demostrar el cumplimiento de lo establecido en este artículo.

Artículo 7. *Deber de colaboración*

1. Las Administraciones públicas, así como cualquier persona física o jurídica, proporcionarán a las autoridades judiciales, al Ministerio Fiscal o a la Policía Judicial los datos, informes, antecedentes y justificantes que les soliciten y que sean necesarios para la investigación y enjuiciamiento de infracciones penales o para la ejecución de las penas. La petición de la Policía Judicial se deberá ajustar exclusivamente al ejercicio de las funciones que le encomienda el artículo 549.1 de la Ley Orgánica 6/1985, de 1 de julio y deberá efectuarse siempre de forma motivada, concreta y específica, dando cuenta en todo caso a la autoridad judicial y fiscal.

La comunicación de datos, informes, antecedentes y justificantes por la Administración Tributaria, la Administración de la Seguridad Social y la Inspección de Trabajo y Seguridad Social, se efectuará de acuerdo con su legislación respectiva.

2. En los restantes casos, las Administraciones públicas, así como cualquier persona física o jurídica, proporcionarán los datos, informes, antecedentes y justificantes a las autoridades competentes que los soliciten, siempre que estos sean necesarios para el desarrollo específico de sus misiones para la prevención, detección e investigación de infracciones penales y para la prevención y protección frente a un peligro real y grave para la seguridad pública. La petición de la autoridad competente deberá ser concreta y específica y contener la motivación que acredite su relación con los indicados supuestos.

3. No será de aplicación lo dispuesto en los apartados anteriores cuando legalmente sea exigible la autorización judicial para recabar los datos necesarios para el cumplimiento de los fines del artículo 1.

4. En los supuestos contemplados en los apartados anteriores, el interesado no será informado de la transmisión de sus datos a las autoridades competentes, ni de haber facilitado el acceso a los mismos por dichas autoridades de cualquier otra forma, a fin de garantizar la actividad investigadora.

Con el mismo propósito, los sujetos a los que el ordenamiento jurídico imponga un deber específico de colaboración con las autoridades competentes para el cumplimiento de los fines establecidos en el artículo 1, no informarán al interesado de la transmisión de sus datos a dichas autoridades, ni de haber facilitado el acceso a los mismos por dichas autoridades de cualquier otra forma, en cumplimiento de sus obligaciones específicas.

Artículo 8. *Plazos de conservación y revisión*

1. El responsable del tratamiento determinará que la conservación de los datos personales tenga lugar sólo durante el tiempo necesario para cumplir con los fines previstos en el artículo 1.

2. El responsable del tratamiento deberá revisar la necesidad de conservar, limitar o suprimir el conjunto de los datos personales contenidos en cada una de las actividades de tratamiento bajo su responsabilidad, como máximo cada tres años, atendiendo especialmente en cada revisión a la edad del afectado, el carácter de los datos y a la conclusión de una investigación o procedimiento penal. Si es posible, se hará mediante el tratamiento automatizado apropiado.

3. Con carácter general, el plazo máximo para la supresión de los datos será de veinte años, salvo que concurran factores como la existencia de investigaciones abiertas o delitos que no hayan prescrito, la no conclusión de la ejecución de la pena, reincidencia, necesidad de protección de las víctimas u otras circunstancias motivadas que hagan

necesario el tratamiento de los datos para el cumplimiento de los fines del artículo 1.

Artículo 9. *Distinción entre categorías de interesados*

El responsable del tratamiento, en la medida de lo posible, establecerá entre los datos personales de las distintas categorías de interesados, distinciones tales como:

a) Personas respecto de las cuales existan motivos fundados para presumir que hayan cometido, puedan cometer o colaborar en la comisión de una infracción penal.

b) Personas condenadas o sancionadas por una infracción penal.

c) Víctimas o afectados por una infracción penal o que puedan serlo.

d) Terceros involucrados en una infracción penal como son: personas que puedan ser citadas a testificar en investigaciones relacionadas con infracciones o procesos penales ulteriores, personas que puedan facilitar información sobre dichas infracciones, o personas de contacto o asociados de una de las personas mencionadas en las letras a) y b).

Lo anterior no debe impedir la aplicación del derecho a la presunción de inocencia tal como lo garantiza el artículo 24 de la Constitución.

Artículo 10. *Verificación de la calidad de los datos personales*

1. El responsable del tratamiento, en la medida de lo posible, establecerá una distinción entre los datos personales basados en hechos y los basados en apreciaciones personales.

2. Las autoridades competentes adoptarán todas las medidas razonables para garantizar que los datos personales que sean inexactos, incompletos o no estén actualizados, no se transmitan ni se pongan a disposición de terceros. En toda transmisión de datos se trasladará al mismo tiempo la valoración de su calidad, exactitud y actualización.

En la medida de lo posible, en todas las transmisiones de datos personales se añadirá la información necesaria para que la autoridad competente receptora pueda valorar hasta qué punto son exactos, completos y fiables, y en qué medida están actualizados. Igualmente, la autoridad competente transmisora, en la medida en que sea factible, controlará la calidad de los datos personales antes de transmitirlos o ponerlos a disposición de terceros.

3. Si se observara que los datos personales transmitidos son incorrectos o que se han transmitido ilegalmente, estas circunstancias se pondrán en conocimiento del destinatario sin dilación indebida. En tal caso, los datos deberán rectificarse o suprimirse, o el tratamiento deberá limitarse de conformidad con lo previsto en el artículo 23.

Artículo 11. *Licitud del tratamiento*

1. El tratamiento sólo será lícito en la medida en que sea necesario para los fines señalados en el artículo 1 y se realice por una autoridad competente en ejercicio de sus funciones.

2. Cualquier ley que regule tratamientos de datos personales para los fines incluidos dentro del ámbito de aplicación de esta Ley Orgánica deberá indicar, al menos, los objetivos del tratamiento, los datos personales que vayan a ser objeto del mismo y las finalidades del tratamiento.

Artículo 12. *Condiciones específicas de tratamiento*

1. Cuando el Derecho de la Unión Europea o la legislación española prevea condiciones específicas aplicables al tratamiento, la autoridad competente transmitente deberá informar al destinatario al que se transmitan los datos, de dichas condiciones y de la obligación de respetarlas.

2. Las condiciones específicas de tratamiento podrán ser, entre otras, la prohibición de transmisión de datos o de su utilización para fines distintos para los que fueron transmitidos o, en caso de limitación del derecho a la información, la prohibición de dar información al interesado sin la autorización previa de la autoridad transmisora.

3. La autoridad competente transmitente no aplicará a los destinatarios de otros Estados miembros de la Unión Europea o de organismos, agencias y órganos establecidos en virtud de los capítulos 4 y 5 del título V de la tercera parte del Tratado de Funcionamiento de la Unión Europea, condiciones distintas de las aplicables a las transmisiones de datos similares dentro de España.

Artículo 13. *Tratamiento de categorías especiales de datos personales*

1. El tratamiento de datos personales que revelen el origen étnico o racial, las opiniones políticas, las convicciones religiosas o filosóficas o la afiliación sindical, así como el tratamiento de datos genéticos, datos biométricos dirigidos a identificar de manera unívoca a una persona física, los datos relativos a la salud o a la vida sexual o a la orientación sexual de una persona física, sólo se permitirá cuando sea estrictamente necesario, con sujeción a las garantías adecuadas para los derechos y libertades del interesado y cuando se cumplan alguna de las siguientes circunstancias:

a) Se encuentre previsto por una norma con rango de ley o por el Derecho de la Unión Europea.

b) Resulte necesario para proteger los intereses vitales, así como los derechos y libertades fundamentales del interesado o de otra persona física.

c) Dicho tratamiento se refiera a datos que el interesado haya hecho manifiestamente públicos.

2. Las autoridades competentes, en el marco de sus respectivas funciones y competencias, podrán tratar datos biométricos dirigidos a identificar de manera unívoca a una persona física con los fines de prevención, investigación, detección de infracciones penales, incluidas la protección y la prevención frente a las amenazas contra la seguridad pública.

3. Los datos de los menores de edad y de las personas con capacidad modificada judicialmente o que estén incursas en procesos de

dicha naturaleza, se tratarán garantizando el interés superior de los mismos y con el nivel de seguridad adecuado.

Artículo 14. *Mecanismo de decisión individual automatizado*

1. Están prohibidas las decisiones basadas únicamente en un tratamiento automatizado, incluida la elaboración de perfiles, que produzcan efectos jurídicos negativos para el interesado o que le afecten significativamente, salvo que se autorice expresamente por una norma con rango de ley o por el Derecho de la Unión Europea. La norma habilitante del tratamiento deberá establecer las medidas adecuadas para salvaguardar los derechos y libertades del interesado, incluyendo el derecho a obtener la intervención humana en el proceso de revisión de la decisión adoptada.

2. Las decisiones a las que se refiere el apartado anterior no se basarán en las categorías especiales de datos personales contempladas en el artículo 13, salvo que se hayan tomado las medidas adecuadas para salvaguardar los derechos y libertades y los intereses legítimos del interesado.

3. Queda prohibida la elaboración de perfiles que dé lugar a una discriminación de las personas físicas sobre la base de categorías especiales de datos personales establecidas en el artículo 13.

Sección 2.ª Tratamiento de datos personales en el ámbito de la videovigilancia por Fuerzas y Cuerpos de Seguridad

Artículo 15. *Sistemas de grabación de imágenes y sonido por las Fuerzas y Cuerpos de Seguridad*

1. La captación, reproducción y tratamiento de datos personales por las Fuerzas y Cuerpos de Seguridad en los términos previstos en esta Ley Orgánica, así como las actividades preparatorias, no se considerarán intromisiones ilegítimas en el derecho al honor, a la intimidad personal y familiar y a la propia imagen, a los efectos de lo establecido en el artículo 2.2 de la Ley Orgánica 1/1982, de 5 de mayo, de protec-

ción civil del derecho al honor, a la intimidad personal y familiar y a la propia imagen.

2. En la instalación de sistemas de grabación de imágenes y sonidos se tendrán en cuenta, conforme al principio de proporcionalidad, los siguientes criterios: asegurar la protección de los edificios e instalaciones propias; asegurar la protección de edificios e instalaciones públicas y de sus accesos que estén bajo custodia; salvaguardar y proteger las instalaciones útiles para la seguridad nacional y prevenir, detectar o investigar la comisión de infracciones penales y la protección y prevención frente a las amenazas contra la seguridad pública.

Artículo 16. *Instalación de sistemas fijos*

1. En las vías o lugares públicos donde se instalen videocámaras fijas, el responsable del tratamiento deberá realizar una valoración del citado principio de proporcionalidad en su doble versión de idoneidad e intervención mínima. Asimismo, deberá llevar a cabo un análisis de los riesgos o una evaluación de impacto de protección de datos relativo al tratamiento que se pretenda realizar, en función del nivel de perjuicio que se pueda derivar para la ciudadanía y de la finalidad perseguida.

Se entenderá por videocámara fija aquella anclada a un soporte fijo o fachada, aunque el sistema de grabación se pueda mover en cualquier dirección.

2. Esta disposición se aplicará asimismo cuando las Fuerzas y Cuerpos de Seguridad utilicen instalaciones fijas de videocámaras de las que no sean titulares y exista, por su parte, un control y dirección efectiva del proceso completo de tratamiento.

3. Estas instalaciones fijas de videocámaras no estarán sujetas al control preventivo de las entidades locales previsto en su legislación reguladora básica, ni al ejercicio de las competencias de las diferentes Administraciones públicas, sin perjuicio de que deban respetar los principios de la legislación vigente en cada ámbito material de la actuación administrativa.

4. Los propietarios y, en su caso, los titulares de derechos reales sobre los bienes afectados por estas instalaciones, o quienes los posean por cualquier título, están obligados a facilitar y permitir su instalación y mantenimiento, sin perjuicio de las indemnizaciones que procedan.

5. Los ciudadanos serán informados de manera clara y permanente de la existencia de estas videocámaras fijas, sin especificar su emplazamiento, así como de la autoridad responsable del tratamiento ante la que poder ejercer sus derechos.

Artículo 17. *Dispositivos móviles*

1. Podrán utilizarse dispositivos de toma de imágenes y sonido de carácter móvil para el mejor cumplimiento de los fines previstos en esta Ley Orgánica, conforme a las competencias específicas de las Fuerzas y Cuerpos de Seguridad. La toma de imagen y sonido, que ha de ser conjunta, queda supeditada, en todo caso, a la concurrencia de un peligro o evento concreto. El uso de los dispositivos móviles deberá estar autorizado por la persona titular de la Delegación o Subdelegación del Gobierno, quien atenderá a la naturaleza de los eventuales hechos susceptibles de filmación, adecuando la utilización de dichos dispositivos a los principios de tratamiento y al de proporcionalidad.

En el caso de los Cuerpos de Policía propios de las Comunidades Autónomas que tengan y ejerzan competencias asumidas para la protección de las personas y bienes y para el mantenimiento del orden público, serán sus órganos correspondientes los que autorizarán este tipo de actuaciones para sus fuerzas policiales, así como para las dependientes de las Corporaciones locales radicadas en su territorio.

2. En estos supuestos de dispositivos móviles, las autorizaciones no se podrán conceder en ningún caso con carácter indefinido o permanente, siendo otorgadas por el plazo adecuado a la naturaleza y las circunstancias derivadas del peligro o evento concreto, por un periodo máximo de un mes prorrogable por otro.

3. En casos de urgencia o necesidad inaplazable será el responsable operativo de las Fuerzas y Cuerpos de Seguridad competentes el que podrá determinar su uso, siendo comunicada tal actuación con la mayor brevedad posible, y siempre en el plazo de 24 horas, al Delegado o Subdelegado del Gobierno o autoridad competente de las comunidades autónomas.

Artículo 18. *Tratamiento y conservación de las imágenes*

1. Realizada la filmación de acuerdo con los requisitos establecidos en esta Ley Orgánica, si la grabación captara la comisión de hechos que pudieran ser constitutivos de infracciones penales, las Fuerzas y Cuerpos de Seguridad pondrán la cinta o soporte original de las imágenes y sonidos en su integridad, a disposición judicial a la mayor brevedad posible y, en todo caso, en el plazo máximo de setenta y dos horas desde su grabación. De no poder redactarse el atestado en tal plazo, se relatarán verbalmente los hechos a la autoridad judicial, o al Ministerio Fiscal, junto con la entrega de la grabación.

2. Si se captaran hechos que pudieran ser constitutivos de infracciones administrativas relacionadas con la seguridad pública, se remitirán al órgano competente, de inmediato, para el inicio del oportuno procedimiento sancionador.

3. Las grabaciones serán destruidas en el plazo máximo de tres meses desde su captación, salvo que estén relacionadas con infracciones penales o administrativas graves o muy graves en materia de seguridad pública, sujetas a una investigación policial en curso o con un procedimiento judicial o administrativo abierto.

Artículo 19. *Régimen disciplinario*

1. Sin perjuicio de las responsabilidades penales en las que pudieran incurrir, las infracciones a lo dispuesto en esta Ley Orgánica por los miembros de las Fuerzas y Cuerpos de Seguridad, serán sancionadas con arreglo al régimen disciplinario correspondiente a los infractores y, en su defecto, con sujeción al régimen general de sanciones en materia

de protección de datos de carácter personal establecido en esta Ley Orgánica.

2. Se considerarán faltas muy graves en el régimen disciplinario de las Fuerzas y Cuerpos de Seguridad del Estado, las siguientes infracciones:

a) Alterar o manipular los registros de imágenes y sonidos, siempre que no constituya delito.

b) Permitir el acceso de personas no autorizadas a las imágenes y sonidos grabados o utilizar estos para fines distintos de los previstos legalmente.

c) Reproducir las imágenes y sonidos para fines distintos de los previstos en esta Ley Orgánica.

d) Utilizar los medios técnicos regulados en esta Ley Orgánica para fines distintos de los previstos en la misma.

CAPÍTULO III. Derechos de las personas

Sección 1.ª Régimen general

Artículo 20. *Condiciones generales de ejercicio de los derechos de los interesados*

1. El responsable del tratamiento deberá facilitar al interesado, de forma concisa, inteligible, de fácil acceso y con lenguaje claro y sencillo para todas las personas, incluidas aquellas con discapacidad, toda la información contemplada en el artículo 21, así como la derivada de los artículos 14, 22 a 26 y 39.

Además, el responsable del tratamiento deberá adoptar las medidas necesarias para garantizar al interesado el ejercicio de sus derechos a los que se refieren los artículos 14 y 22 a 26.

2. El interesado, con capacidad de obrar, podrá actuar en su propio nombre y representación o por medio de representantes, de acuerdo con lo previsto en la normativa sobre el procedimiento administrativo común de las Administraciones Públicas.

3. La información será facilitada por cualquier medio adecuado, incluidos los medios electrónicos, procurando utilizar el mismo medio empleado en la solicitud.

4. El responsable del tratamiento informará por escrito al interesado, sin dilación indebida, sobre el curso dado a su solicitud. La solicitud se entenderá desestimada si transcurrido un mes desde su presentación no ha sido resuelta expresamente y notificada al interesado.

5. La información a la que se refiere el apartado 1 se facilitará gratuitamente. Cuando las solicitudes de un interesado sean manifiestamente infundadas o excesivas, en particular debido a su carácter repetitivo, el responsable del tratamiento podrá inadmitirlas a trámite, mediante resolución motivada.

El responsable del tratamiento deberá demostrar el carácter manifiestamente infundado o excesivo de la solicitud.

En todo caso se considerará que la solicitud es repetitiva cuando se realicen tres solicitudes sobre el mismo supuesto durante el plazo de seis meses, salvo que exista causa legítima para ello.

6. Cuando el responsable del tratamiento tenga dudas razonables acerca de la identidad de la persona física que formula la solicitud a la que se refieren los artículos 22 y 23, le requerirá para que facilite la información complementaria que resulte necesaria para confirmar su identidad en el plazo de diez días. Transcurrido dicho plazo sin que se aporte la información, se le tendrá por desistido de su petición mediante resolución motivada. El plazo al que se refiere el apartado 4 comenzará a computarse desde la fecha en la que se facilite dicha información complementaria.

Artículo 21. *Información que debe ponerse a disposición del interesado*

1. El responsable del tratamiento de los datos pondrá a disposición del interesado, al menos, la siguiente información:

a) La identificación del responsable del tratamiento y sus datos de contacto.

b) Los datos de contacto del delegado de protección de datos, en su caso.

c) Los fines del tratamiento a los que se destinen los datos personales.

d) El derecho a presentar una reclamación ante la autoridad de protección de datos competente y los datos de contacto de la misma.

e) El derecho a solicitar del responsable del tratamiento el acceso a los datos personales relativos al interesado y su rectificación, supresión o la limitación de su tratamiento.

2. Además de la información a la que se refiere el apartado 1, atendiendo a las circunstancias del caso concreto, el responsable del tratamiento proporcionará al interesado la siguiente información adicional para permitir el ejercicio de sus derechos:

a) La base jurídica del tratamiento.

b) El plazo durante el cual se conservarán los datos personales o, cuando esto no sea posible, los criterios utilizados para determinar ese plazo.

c) Las categorías de destinatarios de los datos personales, cuando corresponda, en particular, los establecidos en Estados que no sean miembros de la Unión Europea u organizaciones internacionales.

d) Cualquier otra información necesaria, en especial, cuando los datos personales se hayan recogido sin conocimiento del interesado.

Artículo 22. *Derecho de acceso del interesado a sus datos personales*

1. El interesado tendrá derecho a obtener del responsable del tratamiento confirmación de si se están tratando o no datos personales que le conciernen. En caso de que se confirme el tratamiento, el interesado tendrá derecho a acceder a dichos datos personales, así como a la siguiente información:

a) Los fines y la base jurídica del tratamiento.

b) Las categorías de datos personales de que se trate.

c) Los destinatarios o las categorías de destinatarios a quienes hayan sido comunicados los datos personales, en particular, los destinatarios establecidos en Estados que no sean miembros de la Unión Europea u organizaciones internacionales.

d) El plazo de conservación de los datos personales, cuando sea posible, o, en caso contrario, los criterios utilizados para determinar dicho plazo.

e) La existencia del derecho a solicitar del responsable del tratamiento la rectificación o supresión de los datos personales relativos al interesado o la limitación de su tratamiento.

f) El derecho a presentar una reclamación ante la autoridad de protección de datos competente y los datos de contacto de la misma.

g) La comunicación de los datos personales objeto de tratamiento, así como cualquier información disponible sobre su origen, sin revelar la identidad de ninguna persona física, en especial en el caso de fuentes confidenciales.

2. Cuando el responsable trate una gran cantidad de información relativa al interesado y éste ejercite su derecho de acceso sin especificar si se refiere a todos o a una parte de los datos, el responsable podrá requerir al interesado que concrete la solicitud en el plazo de diez días.

3. Se entenderá concedido el derecho de acceso si el responsable del tratamiento facilita al interesado un sistema remoto, directo y seguro que garantice, de modo permanente, el acceso a la totalidad de sus datos personales. La notificación informando al interesado del procedimiento puesto en marcha a través de este sistema, permitirá denegar su solicitud de acceso efectuada por otras vías.

Si el acceso remoto no facilita la totalidad de la información contenida en el apartado 1, el interesado tendrá derecho a solicitarla.

4. Cuando el interesado elija un medio distinto al que se le ofrece que suponga un coste desproporcionado, la solicitud será considerada excesiva, por lo que dicho interesado asumirá el exceso de coste que su elección comporte. En este caso, sólo será exigible al responsable del tratamiento que la satisfacción del derecho de acceso a través del medio propuesto se produzca sin dilaciones indebidas. Si el interesado

no asumiera el exceso de coste, se le facilitará el acceso por el medio inicialmente propuesto por el responsable del tratamiento.

Artículo 23. *Derechos de rectificación, supresión de datos personales y limitación de su tratamiento*

1. El interesado tendrá derecho a obtener del responsable del tratamiento, sin dilación indebida, la rectificación de los datos personales que le conciernen, cuando tales datos resulten inexactos.

Teniendo en cuenta los fines del tratamiento, el interesado tendrá derecho a que se completen los datos personales cuando estos resulten incompletos.

El interesado deberá indicar en su solicitud a qué datos se refiere y la corrección que haya de realizarse. Deberá acompañar, cuando sea preciso, la documentación justificativa del carácter incompleto o inexacto de los datos objeto de tratamiento.

2. El responsable del tratamiento, a iniciativa propia o como consecuencia del ejercicio del derecho de supresión del interesado, suprimirá los datos personales sin dilación indebida y, en todo caso, en el plazo máximo de un mes a contar desde que tenga conocimiento, cuando el tratamiento infrinja los artículos 6, 11 o 13, o cuando los datos personales deban ser suprimidos en virtud de una obligación legal a la que esté sujeto.

3. En lugar de proceder a la supresión, el responsable del tratamiento limitará el tratamiento de los datos personales cuando se dé alguna de las siguientes circunstancias:

a) El interesado ponga en duda la exactitud de los datos personales y no pueda determinarse su exactitud o inexactitud.

b) Los datos personales hayan de conservarse a efectos probatorios.

Cuando el tratamiento esté limitado en virtud de la letra a), el responsable del tratamiento informará al interesado antes de levantar la limitación del tratamiento.

4. En caso de que el responsable del tratamiento rectifique unos datos personales inexactos que provengan de otra autoridad competente, se deberá comunicar a esta la rectificación.

5. Cuando los datos personales hayan sido rectificados o suprimidos o el tratamiento haya sido limitado, el responsable del tratamiento lo notificará a los destinatarios, que deberán rectificar o suprimir los datos personales que estén bajo su responsabilidad o limitar su tratamiento.

Artículo 24. *Restricciones a los derechos de información, acceso, rectificación, supresión de datos personales y a la limitación de su tratamiento*

1. El responsable del tratamiento podrá aplazar, limitar u omitir la información a la que se refiere el artículo 21.2, así como denegar, total o parcialmente, las solicitudes de ejercicio de los derechos contemplados en los artículos 22 y 23, siempre que, teniendo en cuenta los derechos fundamentales y los intereses legítimos de la persona afectada, resulte necesario y proporcional para la consecución de los siguientes fines:

a) Impedir que se obstaculicen indagaciones, investigaciones o procedimientos judiciales.

b) Evitar que se cause perjuicio a la prevención, detección, investigación y enjuiciamiento de infracciones penales o a la ejecución de sanciones penales.

c) Proteger la seguridad pública.

d) Proteger la Seguridad Nacional.

e) Proteger los derechos y libertades de otras personas.

2. En caso de restricción de los derechos contemplados en los artículos 22 y 23, el responsable del tratamiento informará por escrito al interesado sin dilación indebida, y en todo caso, en el plazo de un mes a contar desde que tenga conocimiento, de dicha restricción, de las razones de la misma, así como de las posibilidades de presentar una reclamación ante la autoridad de protección de datos, sin perjuicio

de las restantes acciones judiciales que pueda ejercer en virtud de lo dispuesto en esta Ley Orgánica.

Las razones de la restricción podrán ser omitidas o ser sustituidas por una redacción neutra cuando la revelación de los motivos de la restricción pueda poner en riesgo los fines a los que se refiere el apartado anterior.

3. El responsable del tratamiento documentará los fundamentos de hecho o de derecho en los que se sustente la decisión denegatoria del ejercicio del derecho de acceso. Dicha información estará a disposición de las autoridades de protección de datos.

Artículo 25. *Ejercicio de los derechos del interesado a través de la autoridad de protección de datos*

1. En los casos en que se produzca un aplazamiento, limitación u omisión de la información a que se refiere el artículo 21 o una restricción del ejercicio de los derechos contemplados en los artículos 22 y 23, en los términos previstos en el artículo 24, el interesado podrá ejercer sus derechos a través de la autoridad de protección de datos competente. El responsable del tratamiento informará al interesado de esta posibilidad.

2. Cuando, en virtud de lo establecido en el apartado anterior, se ejerciten los derechos a través de la autoridad de protección de datos, esta deberá informar al interesado, al menos, de la realización de todas las comprobaciones necesarias o la revisión correspondiente y de su derecho a interponer recurso contencioso-administrativo.

Sección 2.ª Régimen especial

Artículo 26. *Derechos de los interesados como consecuencia de investigaciones y procesos penales.*

1. El ejercicio de los derechos de información, acceso, rectificación, supresión y limitación del tratamiento a los que se hace referencia en los artículos anteriores se llevará a cabo de conformidad con las

normas procesales penales cuando los datos personales figuren en una resolución judicial, o en un registro, diligencias o expedientes tramitados en el curso de investigaciones y procesos penales.

2. Cuando los datos sean objeto de un tratamiento con fines jurisdiccionales del que sea responsable un órgano del orden jurisdiccional penal, o el Ministerio Fiscal, el ejercicio de los derechos de información, acceso, rectificación, supresión y limitación del tratamiento se realizará de conformidad con lo previsto en la Ley Orgánica 6/1985, de 1 de julio, en las normas procesales y en su caso, el Estatuto Orgánico del Ministerio Fiscal.

3. En defecto de regulación del ejercicio de estos derechos en dichas normas, se aplicará lo dispuesto en esta Ley Orgánica.

CAPÍTULO IV. Responsable y encargado de tratamiento

Sección 1.ª Obligaciones generales

Artículo 27. *Obligaciones del responsable del tratamiento*

1. El responsable del tratamiento, tomando en consideración la naturaleza, el ámbito, el contexto y los fines del tratamiento, así como los niveles de riesgo para los derechos y libertades de las personas físicas, aplicará las medidas técnicas y organizativas apropiadas para garantizar que el tratamiento se lleve a cabo de acuerdo con esta Ley Orgánica y con lo previsto en la legislación sectorial y en sus normas de desarrollo. Tales medidas se revisarán y actualizarán cuando resulte necesario.

2. Entre las medidas mencionadas en el apartado anterior se incluirá la aplicación de las oportunas políticas de protección de datos, cuando sean proporcionadas en relación con las actividades de tratamiento.

Artículo 28. *Protección de datos desde el diseño y por defecto*

1. En el momento de determinar los medios para el tratamiento, así como en el momento del tratamiento propiamente dicho, deberán

aplicarse las medidas técnicas y organizativas que resulten apropiadas conforme al estado de la técnica y el coste de la aplicación, la naturaleza, el ámbito, el contexto, los fines del tratamiento y los riesgos para los derechos y libertades de las personas físicas. El objetivo será salvaguardar los principios de protección de datos de forma efectiva, al tiempo que integrar las garantías necesarias en el tratamiento. Entre estas medidas técnicas, se podrá adoptar la seudonimización de los datos personales a los efectos de contribuir a la aplicación de los principios establecidos en esta Ley Orgánica, en particular, el de minimización de datos personales.

2. Además, las medidas técnicas y organizativas deberán garantizar que, por defecto, sólo sean objeto de tratamiento los datos personales que resulten necesarios para cada uno de los fines específicos del tratamiento. Dicha obligación se aplicará a la cantidad de datos personales recogidos, a la extensión de su tratamiento, a su período de conservación y a su accesibilidad.

Tales medidas garantizarán que, por defecto, los datos personales no sean accesibles a un número indeterminado de personas sin intervención humana.

Artículo 29. *Supuestos de corresponsabilidad en el tratamiento*

1. Cuando dos o más responsables del tratamiento determinen conjuntamente los objetivos y los medios de tratamiento serán considerados corresponsables del tratamiento.

2. Salvo que las responsabilidades hayan sido previstas por el Derecho de la Unión Europea o por la legislación española, los corresponsables del tratamiento establecerán, de modo transparente y de mutuo acuerdo, a través del instrumento oportuno, sus respectivas responsabilidades en el cumplimiento de esta Ley Orgánica, en particular, en lo referido al ejercicio de los derechos del interesado y a sus respectivas obligaciones en el suministro de la información contemplada en el artículo 21.

El citado acuerdo designará el punto de contacto para los interesados, a menos que venga ya determinado legalmente.

La concreción de las responsabilidades se realizará atendiendo a las actividades que efectivamente desarrolle cada uno de los corresponsables del tratamiento.

Artículo 30. *Encargado del tratamiento*

1. Cuando una operación de tratamiento vaya a ser llevada a cabo por cuenta de un responsable del tratamiento, este recurrirá únicamente a encargados que ofrezcan garantías suficientes para aplicar medidas técnicas y organizativas apropiadas, de manera que el tratamiento sea conforme con los requisitos de esta Ley Orgánica y garantice la protección de los derechos del interesado.

El encargado podrá ser una persona física o jurídica, de naturaleza privada o pública.

2. El encargado del tratamiento no recurrirá a otro encargado sin la autorización previa por escrito del responsable del tratamiento. El encargado informará siempre al responsable de cualquier cambio previsto referido a la adición o sustitución de otros encargados, pudiendo el responsable oponerse a dichos cambios.

3. El tratamiento por medio de un encargado se regirá por un contrato, convenio u otro instrumento jurídico que corresponda, por escrito, incluyendo la posibilidad del formato electrónico, concluido con arreglo al Derecho de la Unión Europea o a la legislación española. Dicho instrumento jurídico vinculará al encargado con el responsable y fijará el objeto y la duración del tratamiento, su naturaleza y finalidad, el tipo de datos personales y categorías de interesados, así como las obligaciones y derechos del responsable.

El instrumento jurídico estipulará, en particular, que el encargado del tratamiento deberá:

a) Actuar únicamente siguiendo las instrucciones del responsable del tratamiento.

b) Garantizar, a través del instrumento o sistema oportuno, que las personas autorizadas para tratar datos personales se hayan comprometido a respetar la confidencialidad o estén sujetas a una obligación profesional de secreto o confidencialidad.

c) Asistir al responsable del tratamiento por cualquier medio adecuado para garantizar el cumplimiento de las disposiciones sobre los derechos del interesado.

d) Suprimir o devolver, a elección del responsable del tratamiento, todos los datos personales al responsable del tratamiento, una vez finalice la prestación de los servicios de tratamiento, así como suprimir las copias existentes, a menos que el Derecho de la Unión Europea o la legislación española requieran la conservación de los datos personales.

e) Poner a disposición del responsable del tratamiento toda la información necesaria para demostrar el cumplimiento de estas obligaciones.

f) Respetar las condiciones indicadas en este apartado y en el apartado 2 para contratar a otro encargado del tratamiento.

4. Si un encargado del tratamiento determinase los fines y medios de dicho tratamiento, infringiendo esta Ley Orgánica, será considerado responsable con respecto a ese tratamiento.

5. El encargado del tratamiento se regirá, en lo no previsto por esta Ley Orgánica, por lo establecido en la Ley Orgánica 3/2018, de 5 de diciembre.

Artículo 31. *Tratamiento bajo la autoridad del responsable o del encargado del tratamiento*

El encargado del tratamiento, así como cualquier persona que actúe bajo la autoridad del responsable o del encargado del tratamiento y tenga acceso a datos personales, sólo podrá someterlos a tratamiento siguiendo instrucciones del responsable del tratamiento, a menos que esté obligado a hacerlo por el Derecho de la Unión Europea o por la legislación española.

Artículo 32. *Registros de las actividades de tratamiento*

1. Cada responsable debe conservar un registro de todas las actividades de tratamiento de datos personales efectuadas bajo su responsabilidad. Dicho registro deberá contener la información siguiente:

a) La identificación del responsable del tratamiento y sus datos de contacto, así como, en su caso, del corresponsable y del delegado de protección de datos.

b) Los fines del tratamiento.

c) Las categorías de destinatarios a quienes se hayan comunicado o vayan a comunicarse los datos personales, incluidos los destinatarios en Estados que no sean miembros de la Unión Europea u organizaciones internacionales.

d) La descripción de las categorías de interesados y de las categorías de datos personales.

e) El recurso a la elaboración de perfiles, en su caso.

f) Las categorías de transferencias de datos personales a un Estado que no sea miembro de la Unión Europea o a una organización internacional, en su caso.

g) La indicación de la base jurídica del tratamiento, así como, en su caso, las transferencias internacionales de las que van a ser objeto los datos personales.

h) Los plazos previstos para la supresión de las diferentes categorías de datos personales, cuando sea posible.

i) La descripción general de las medidas técnicas y organizativas de seguridad a las que se refiere el artículo 37.1, cuando sea posible.

2. Cada encargado del tratamiento llevará un registro de todas las actividades de tratamiento de datos personales efectuadas en nombre de un responsable. Este registro contendrá la información siguiente:

a) El nombre y los datos de contacto del encargado o encargados del tratamiento, de cada responsable del tratamiento en cuyo nombre actúe el encargado y, en su caso, del delegado de protección de datos.

b) Las categorías de tratamientos efectuados en nombre de cada responsable.

c) Las transferencias de datos personales a un Estado que no sea miembro de la Unión Europea o a una organización internacional, en su caso, incluida la identificación de dicho Estado o de dicha organización internacional cuando el responsable del tratamiento así lo ordene explícitamente.

d) La descripción general de las medidas técnicas y organizativas de seguridad a las que se refiere el artículo 37.1, cuando sea posible.

3. Los registros referidos en este artículo se establecerán y llevarán por escrito, incluida la posibilidad del formato electrónico.

Estos registros estarán a disposición de la autoridad de protección de datos competente, a solicitud de esta, de conformidad con lo dispuesto legalmente.

4. Los responsables de los tratamientos harán público el registro de sus actividades de tratamiento, accesible por medios electrónicos, en el que constará la información a la que se refiere el apartado 1.

Artículo 33. *Registro de operaciones*

1. Los responsables y encargados del tratamiento deberán mantener registros de, al menos, las siguientes operaciones de tratamiento en sistemas de tratamiento automatizados: recogida, alteración, consulta, comunicación, incluidas las transferencias, y combinación o supresión. Los registros de consulta y comunicación harán posible determinar la justificación, la fecha y la hora de tales operaciones y, en la medida de lo posible, el nombre de la persona que consultó o comunicó los datos personales, así como la identidad de los destinatarios de dichos datos personales.

2. Estos registros se utilizarán únicamente a efectos de verificar la legalidad del tratamiento, controlar el cumplimiento de las medidas y de las políticas de protección de datos y garantizar la integridad y la seguridad de los datos personales en el ámbito de los procesos penales.

Dichos registros estarán a disposición de la autoridad de protección de datos competente a solicitud de esta, de conformidad con lo dispuesto legalmente.

Artículo 34. *Cooperación con las autoridades de protección de datos*

El responsable y el encargado del tratamiento cooperarán con la autoridad de protección de datos competente, en el marco de la legislación vigente, cuando esta lo solicite en el desempeño de sus funciones.

Artículo 35. *Evaluación de impacto relativa a la protección de datos*

1. Cuando sea probable que un tipo de tratamiento, en particular si utiliza nuevas tecnologías, suponga por su naturaleza, alcance, contexto o fines, un alto riesgo para los derechos y libertades de las personas físicas, el responsable del tratamiento realizará, con carácter previo, una evaluación del impacto de las operaciones de tratamiento previstas en la protección de datos personales.

2. La evaluación incluirá, como mínimo, una descripción general de las operaciones de tratamiento previstas, una evaluación de riesgos para los derechos y libertades de los interesados, las medidas contempladas para hacer frente a estos peligros, así como las medidas de seguridad y mecanismos destinados a garantizar la protección de los datos personales y a demostrar su conformidad con esta Ley Orgánica. Esta evaluación tendrá en cuenta los derechos e intereses legítimos de los interesados y de las demás personas afectadas.

3. Las autoridades de protección de datos podrán establecer una lista de tratamientos que estén sujetos a la realización de una evaluación de impacto con arreglo a lo dispuesto en el apartado anterior y, del mismo modo, podrán establecer una lista de tratamientos que no estén sujetos a esta obligación. Ambas listas tendrán un carácter meramente orientativo.

Artículo 36. *Consulta previa a la autoridad de protección de datos*

1. El responsable o el encargado del tratamiento consultará a la autoridad de protección de datos, antes de proceder al tratamiento de datos personales que vayan a formar parte de un nuevo fichero, en cualquiera de las siguientes circunstancias:

a) Cuando la evaluación del impacto en la protección de los datos indique que el tratamiento entrañaría un alto nivel de riesgo, a falta de medidas adoptadas por el responsable para mitigar el riesgo o los posibles daños.

b) Cuando el tipo de tratamiento pueda generar un alto nivel de riesgo para los derechos y libertades de los interesados, en particular, cuando se usen tecnologías, mecanismos o procedimientos nuevos.

2. La autoridad de protección de datos correspondiente podrá establecer una lista de carácter orientativo, de las operaciones de tratamiento sujetas a consulta previa, con arreglo a lo dispuesto en el apartado anterior.

3. El responsable del tratamiento facilitará a la autoridad de protección de datos competente, la evaluación de impacto contemplada en el artículo 35 y, previa solicitud, cualquier información adicional que permita a dicha autoridad de protección de datos evaluar la conformidad del tratamiento y, más concretamente, el nivel de riesgo para la protección de los datos personales del interesado y las garantías correspondientes.

4. Cuando la autoridad de protección de datos considere que el tratamiento previsto en el apartado 1 pudiera infringir lo dispuesto en esta Ley Orgánica deberá, en un plazo de seis semanas desde la solicitud de la consulta, asesorar por escrito al responsable del tratamiento y, en su caso, al encargado del tratamiento, en especial, cuando el responsable del tratamiento no haya identificado o mitigado suficientemente el peligro o el nivel de riesgo. Asimismo, la autoridad de protección de datos podrá ejercer cualquiera de sus potestades de investigación, corrección o consulta.

Este plazo podrá prorrogarse un mes, en función de la complejidad del tratamiento previsto. La autoridad de protección de datos informará al responsable y, en su caso, al encargado acerca de la prórroga, en el plazo de un mes a partir de la recepción de la solicitud de consulta, junto con los motivos de la dilación.

En caso de no contestar a la consulta en el plazo previsto, no operará la presunción del carácter favorable del mismo.

Sección 2.ª Seguridad de los datos personales

Artículo 37. *Seguridad del tratamiento*

1. El responsable y el encargado del tratamiento, teniendo en cuenta el estado de la técnica y los costes de aplicación, y la naturaleza, el alcance, el contexto y los fines del tratamiento, así como los niveles de riesgo para los derechos y libertades de las personas físicas, aplicarán medidas técnicas y organizativas apropiadas para garantizar un nivel de seguridad adecuado, especialmente en lo relativo al tratamiento de las categorías de datos personales a las que se refiere el artículo 13. En particular, deberán aplicar a los tratamientos de datos personales las medidas incluidas en el Esquema Nacional de Seguridad.

2. Por lo que respecta al tratamiento automatizado, el responsable o encargado del tratamiento, a raíz de una evaluación de los riesgos, pondrá en práctica medidas de control con el siguiente propósito:

a) En el control de acceso a los equipamientos, denegar el acceso a personas no autorizadas a los equipamientos utilizados para el tratamiento.

b) En el control de los soportes de datos, impedir que estos puedan ser leídos, copiados, modificados o cancelados por personas no autorizadas.

c) En el control del almacenamiento, impedir que se introduzcan sin autorización datos personales, o que estos puedan inspeccionarse, modificarse o suprimirse sin autorización.

d) En el control de los usuarios, impedir que los sistemas de tratamiento automatizado puedan ser utilizados por personas no autorizadas por medio de instalaciones de transmisión de datos.

e) En el control del acceso a los datos, garantizar que las personas autorizadas a utilizar un sistema de tratamiento automatizado, sólo puedan tener acceso a los datos personales para los que han sido autorizados.

f) En el control de la transmisión, garantizar que sea posible verificar y establecer a qué organismos se han transmitido o pueden transmitirse, o a cuya disposición pueden ponerse los datos personales mediante equipamientos de comunicación de datos.

g) En el control de la introducción, garantizar que pueda verificarse y constatarse, a posteriori, qué datos personales se han introducido en los sistemas de tratamiento automatizado, en qué momento y quién los ha introducido.

h) En el control del transporte, impedir que durante las transferencias de datos personales o durante el transporte de soportes de datos, los datos personales puedan ser leídos, copiados, modificados o suprimidos sin autorización.

i) En el control de restablecimiento, garantizar que los sistemas instalados puedan restablecerse en caso de interrupción.

j) En el control de fiabilidad e integridad, garantizar que las funciones del sistema no presenten defectos, que los errores de funcionamiento sean señalados y que los datos personales almacenados no se degraden por fallos de funcionamiento del sistema.

Artículo 38. *Notificación a la autoridad de protección de datos de una violación de la seguridad de los datos personales*

1. Cualquier violación de la seguridad de los datos personales será notificada por el responsable del tratamiento a la autoridad de protección de datos competente, a menos que sea improbable que la violación de la seguridad de los datos personales constituya un peligro para los derechos y las libertades de las personas físicas.

La notificación deberá realizarse en el plazo de las setenta y dos horas siguientes al momento en que se haya tenido constancia de ella. En caso contrario, deberá ir acompañada de los motivos de la dilación.

2. El encargado del tratamiento notificará, sin dilación indebida, al responsable del tratamiento, las violaciones de la seguridad de los datos personales de las que tenga conocimiento.

3. La notificación contemplada en el apartado 1 deberá, al menos:

a) Referir la naturaleza de la violación de la seguridad de los datos personales, incluyendo, cuando sea posible, las categorías y el número aproximado de personas afectadas, así como las categorías y el número aproximado de registros de datos personales afectados por la violación de la seguridad.

b) Comunicar el nombre y los datos de contacto del delegado de protección de datos o de otro punto de contacto en el que pueda obtenerse más información.

c) Detallar las posibles consecuencias de la violación de la seguridad de los datos personales.

d) Describir las medidas adoptadas o propuestas por el responsable del tratamiento para poner remedio a la violación de la seguridad de los datos personales, incluyendo, si procede, las medidas adoptadas para mitigar sus posibles efectos negativos.

4. Si no fuera posible facilitar la información simultáneamente, se podrá facilitar de forma progresiva, a medida que se disponga de ella.

5. El responsable del tratamiento documentará cualquier violación de la seguridad de los datos personales, incluidos los hechos relativos a dicha violación, sus efectos y las medidas correctivas adoptadas.

Dicha documentación estará a disposición de la autoridad de protección de datos competente al objeto de verificar el cumplimiento de lo dispuesto en este artículo.

6. Cuando la violación de la seguridad de los datos personales afecte a datos que hayan sido transmitidos por el responsable del tratamiento o al responsable del tratamiento de otro Estado miembro de la

Unión Europea, la información recogida en el apartado 3 se comunicará al responsable del tratamiento de dicho Estado.

7. Todas las actividades relacionadas en este artículo se realizarán sin dilaciones indebidas.

Artículo 39. *Comunicación de una violación de la seguridad de los datos personales al interesado*

1. Cuando existan indicios de que una violación de la seguridad de los datos personales supondría un alto riesgo para los derechos y libertades de las personas físicas, el responsable del tratamiento comunicará al interesado, sin dilación indebida, la violación de la seguridad de los datos personales.

2. La comunicación al interesado describirá con lenguaje claro, sencillo y accesible conforme a sus circunstancias y capacidades, la naturaleza de la violación de la seguridad de los datos personales y contendrá, al menos, la información y las medidas a las que se refiere el artículo 38.3. b), c) y d).

3. No se efectuará la comunicación al interesado que prevé el apartado 1 cuando se cumpla alguna de las condiciones siguientes:

a) Que el responsable del tratamiento haya adoptado medidas apropiadas de protección técnica y organizativa y dichas medidas se hayan aplicado a los datos personales afectados por la violación de la seguridad antes de la misma, en particular, aquellas que hagan ininteligibles los datos personales para cualquier persona que no esté autorizada a acceder a ellos, como en el caso del cifrado.

b) Que el responsable del tratamiento haya tomado medidas ulteriores para garantizar que no se materialice el alto nivel de riesgo para los derechos y libertades del interesado a que hace referencia el apartado 1.

c) Que suponga un esfuerzo desproporcionado, en cuyo caso, se optará por su publicación en el boletín oficial correspondiente, en la sede electrónica del responsable del tratamiento o en otro canal oficial que permita una comunicación efectiva con el interesado.

4. En el supuesto de que el responsable del tratamiento no haya comunicado al interesado la violación de la seguridad de los datos personales, la autoridad de protección de datos competente, una vez valorada la existencia de un alto nivel de riesgo, podrá exigirle que proceda a dicha comunicación, o bien que determine la concurrencia de alguna de las condiciones previstas en el apartado 3.

5. La comunicación al interesado referida en el apartado 1 podrá aplazarse, limitarse u omitirse con sujeción a las condiciones y por los motivos previstos en el artículo 24.

Sección 3.ª Delegado de protección de datos

Artículo 40. *Designación del delegado de protección de datos*

1. Los responsables del tratamiento designarán, en todo caso, un delegado de protección de datos. No estarán obligados a designarlo los órganos jurisdiccionales o el Ministerio Fiscal cuando el tratamiento de datos personales se realice en el ejercicio de sus funciones jurisdiccionales.

2. El delegado de protección de datos será designado atendiendo a sus cualidades profesionales. En concreto, se tendrán en cuenta sus conocimientos especializados en legislación, su experiencia en materia de protección de datos y su capacidad para desempeñar las funciones a las que se refiere el artículo 42. En el caso de haber designado un delegado de protección de datos al amparo del Reglamento General de Protección de Datos, este será el que asumirá las funciones de delegado de protección de datos previstas en esta Ley Orgánica.

3. Podrá designarse a un único delegado de protección de datos para varias autoridades competentes, teniendo en cuenta la estructura organizativa y el tamaño de estas.

4. Los responsables del tratamiento publicarán los datos de contacto del delegado de protección de datos y comunicarán a la autoridad de protección de datos competente su designación y cese, en el plazo de diez días desde que se haya producido.

Artículo 41. *Posición del delegado de protección de datos*

1. El responsable del tratamiento velará porque el delegado de protección de datos participe adecuada y oportunamente en todas las cuestiones relativas a la protección de datos personales, al tiempo que cuidará de que mantenga sus conocimientos especializados, cuente con los recursos necesarios para el desempeño de sus funciones y acceda a los datos personales y a las operaciones de tratamiento.

2. El delegado de protección de datos no podrá ser removido ni sancionado por el responsable o el encargado por desempeñar sus funciones, salvo que incurriera en dolo o negligencia grave en su ejercicio. Se garantizará la independencia del delegado de protección de datos dentro de la organización, debiendo evitar cualquier conflicto de intereses.

3. En el ejercicio de sus funciones el delegado de protección de datos tendrá acceso a los datos personales y procesos de tratamiento. La existencia de cualquier deber de confidencialidad o secreto no permitirá que el responsable o el encargado del tratamiento se oponga a dicho acceso.

4. Cuando el delegado de protección de datos aprecie la existencia de una vulneración relevante en materia de protección de datos lo documentará y lo comunicará inmediatamente a los órganos de dirección del responsable o del encargado del tratamiento.

Artículo 42. *Funciones del delegado de protección de datos*

El responsable del tratamiento encomendará al delegado de protección de datos, al menos, las siguientes funciones:

a) Informar y asesorar al responsable del tratamiento y a los empleados que se ocupen del mismo, acerca de las obligaciones que les incumben en virtud de esta Ley Orgánica y de otras disposiciones de protección de datos aplicables.

b) Supervisar el cumplimiento de lo dispuesto en esta Ley Orgánica y en otras disposiciones de protección de datos aplicables, así como de lo establecido en las políticas del responsable del tratamiento en materia de protección de datos personales, incluidas la asignación de responsabilidades, la concienciación y formación del personal que participe en las operaciones de tratamiento y las auditorías correspondientes.

c) Ofrecer el asesoramiento que se le solicite acerca de la evaluación de impacto relativa a la protección de datos y supervisar su realización.

d) Cooperar con la autoridad de protección de datos en los términos de la legislación vigente.

e) Actuar como punto de contacto de la autoridad de protección de datos para las cuestiones relacionadas con el tratamiento, incluida la consulta previa referida en el artículo 36, y realizar consultas, en su caso, sobre cualquier otro asunto.

CAPÍTULO V. Transferencias de datos personales a terceros países que no sean miembros de la Unión Europea o a organizaciones internacionales

Artículo 43. *Principios generales de las transferencias de datos personales*

1. Al objeto de garantizar el nivel de protección de las personas físicas previsto en esta Ley Orgánica, cualquier transferencia de datos personales realizada por las autoridades competentes españolas a un Estado que no sea miembro de la Unión Europea o a una organización internacional, incluidas las transferencias ulteriores a otro Estado que no pertenezca a la Unión Europea o a otra organización internacional, deberá cumplir las siguientes condiciones:

a) Que la transferencia sea necesaria para los fines establecidos en el artículo 1.

b) Que los datos personales sean transferidos a un responsable del tratamiento competente para los fines mencionados en el artículo 1.

c) Que, en caso de que los datos personales hayan sido transferidos a la autoridad competente española procedentes de otro Estado miembro de la Unión Europea, dicho Estado miembro autorice previamente la transferencia ulterior de conformidad con su Derecho nacional.

d) Que la Comisión Europea haya adoptado una decisión de adecuación de acuerdo con el artículo 44 o, a falta de dicha decisión, cuando se hayan aportado o existan garantías apropiadas de conformidad con el artículo 45 o, a falta de ambas, cuando resulten de aplicación las excepciones para situaciones específicas de acuerdo con el artículo 46.

e) Cuando se trate de una transferencia ulterior a un Estado que no sea miembro de la Unión Europea u organización internacional, de datos transferidos inicialmente por una autoridad competente española, esta autorizará la transferencia ulterior, una vez considerados todos los factores pertinentes, entre estos, la gravedad de la infracción penal, la finalidad para la que se transfirieron inicialmente los datos personales y el nivel de protección existente en ese Estado u organización internacional a los que se transfieran ulteriormente los datos personales.

2. Las transferencias de datos personales por las autoridades españolas sin autorización previa de otro Estado miembro, conforme al párrafo 1c), sólo se permitirán si la transferencia de datos personales resulta necesaria para prevenir una amenaza inmediata y grave para la seguridad pública, tanto de un Estado miembro de la Unión Europea como no perteneciente a la misma, o para los intereses fundamentales de un Estado miembro de la Unión Europea, y cuando la autorización previa no pueda conseguirse a su debido tiempo.

Las autoridades españolas informarán sin dilación a la autoridad responsable de conceder la autorización previa, y en todo caso en el plazo máximo de diez días a contar desde que se haya producido la transferencia.

3. Se impulsará el establecimiento de mecanismos de cooperación internacional y de asistencia mutua y se fomentará el intercambio de normativa y de buenas prácticas con los Estados que no sean miembros de la Unión Europea y con las organizaciones internacionales, de manera que se facilite la aplicación efectiva de la legislación sobre la

protección de datos personales, inclusive en el ámbito de la resolución de conflictos jurisdiccionales, procurando la participación de todas las partes interesadas.

Artículo 44. *Transferencias basadas en una decisión de adecuación*

1. Cuando la Comisión Europea, mediante una decisión de adecuación, haya decidido que un Estado que no sea miembro de la Unión Europea, un territorio o uno o varios sectores específicos de dicho Estado, o la organización internacional de que se trate, garantizan un nivel de protección adecuado, podrán realizarse transferencias de datos personales a ese Estado u organización internacional. Dichas transferencias no requerirán ninguna autorización específica.

2. Toda decisión de adecuación de la Comisión Europea que determine que un Estado que no sea miembro de la Unión Europea, un territorio o uno o varios sectores específicos de dicho Estado, o una organización internacional ha dejado de garantizar un nivel de protección adecuado, se entenderá sin perjuicio de las transferencias de datos personales a dicho Estado, territorio o sector del mismo o a la organización internacional de que se trate, en virtud de los artículos 45 y 46.

Artículo 45. *Transferencias mediante garantías apropiadas*

1. En ausencia de una decisión de adecuación de la Comisión Europea conforme al artículo 44 podrán realizarse transferencias de datos personales a un Estado que no sea miembro de la Unión Europea o a una organización internacional cuando concurra alguna de las siguientes circunstancias:

a) Se hayan aportado garantías apropiadas respecto a la protección de datos personales en un instrumento jurídicamente vinculante.

b) Se hayan evaluado, por parte del responsable del tratamiento, todas las circunstancias que concurren en la transferencia de datos personales y se haya concluido que existen garantías apropiadas respecto a la protección de datos personales.

2. El responsable del tratamiento informará a la autoridad de protección de datos competente acerca de las categorías de transferencias a tenor del párrafo 1.b).

3. Cuando las transferencias se basen en lo dispuesto en el párrafo 1.b) deberán documentarse. La documentación se pondrá a disposición de la autoridad de protección de datos competente, previa solicitud, con inclusión de la siguiente información: fecha, hora de la transferencia, información sobre la autoridad competente destinataria, justificación de la transferencia y datos personales transferidos.

Artículo 46. *Excepciones para situaciones específicas*

1. En ausencia de una decisión de adecuación de la Comisión Europea o de garantías apropiadas de acuerdo con los artículos 44 y 45, podrán realizarse transferencias de datos personales a un Estado que no sea miembro de la Unión Europea o a una organización internacional cuando la transferencia sea necesaria por concurrir alguna de las siguientes circunstancias:

a) Para proteger los intereses vitales o los derechos y libertades fundamentales del interesado o de otra persona.

b) Para salvaguardar intereses legítimos del interesado reconocidos por la legislación española.

c) Para prevenir una amenaza grave e inmediata para la seguridad pública de un Estado, tanto miembro de la Unión Europea como no perteneciente a la misma.

d) En casos individuales, a efectos del artículo 1.

e) Para el ejercicio, en un caso individual, de acciones legales o para la defensa frente a ellas en relación con los fines incluidos en el artículo 1.

2. Los datos personales no se transferirán, si la autoridad competente de la transferencia determina que los derechos y libertades fundamentales del interesado prevalecen sobre el interés público en la transferencia, establecido en las letras d) y e) del apartado anterior.

3. Las transferencias basadas en lo dispuesto en este artículo deberán documentarse. Esta documentación quedará a disposición de la autoridad de protección de datos competente, con inclusión de la fecha y la hora de la transferencia, la información sobre la autoridad competente destinataria, la justificación de la transferencia y los datos personales transferidos.

Artículo 47. *Transferencias directas de datos personales a destinatarios, que no sean autoridades competentes, establecidos en Estados no pertenecientes a la Unión Europea*

1. Excepcionalmente, en casos particulares y específicos y sin perjuicio de la existencia de un acuerdo internacional entre España y un Estado que no sea miembro de la Unión Europea en el ámbito de la cooperación judicial penal o de la cooperación policial, las autoridades competentes españolas podrán transferir datos personales directamente a destinatarios que no tengan la condición de autoridad competente, establecidos en Estados que no sean miembros de la Unión Europea, siempre que se cumplan las disposiciones de esta Ley Orgánica y se satisfagan todas las condiciones siguientes:

a) Que la transferencia sea estrictamente necesaria para la realización de una función de la autoridad competente que lleva a cabo la transferencia conforme al Derecho de la Unión Europea o a la legislación española, con cualquiera de los fines del artículo 1.

b) Que la autoridad competente que realiza la transferencia determine que ninguno de los derechos y libertades fundamentales del interesado son superiores al interés público que precise de la transferencia de que se trate.

c) Que la autoridad competente que realiza la transferencia considere que la transferencia a una autoridad competente del Estado en el que está establecido el destinatario, con cualquiera de los fines del artículo 1, resultaría ineficaz o inadecuada, en particular porque la transferencia no pueda efectuarse dentro de plazo.

d) Que se informe sin dilación indebida a la autoridad competente para los fines que contempla el artículo 1 de dicho Estado, salvo que esto resulte ineficaz o inadecuado.

e) Que la autoridad competente que realiza la transferencia informe al destinatario de la finalidad o finalidades específicas para las que puede tratar los datos personales, siempre y cuando dicho tratamiento sea necesario.

2. La autoridad competente que realiza la transferencia informará a la autoridad de protección de datos competente acerca de las transferencias efectuadas a tenor de este artículo.

3. Las transferencias basadas en lo dispuesto en este artículo deberán documentarse.

CAPÍTULO VI. *Autoridades de Protección de Datos Independientes*

Artículo 48. *Autoridades de protección de datos*

A los efectos de esta Ley Orgánica son autoridades de protección de datos independientes:

a) La Agencia Española de Protección de Datos.

b) Las autoridades autonómicas de protección de datos, exclusivamente en relación a aquellos tratamientos de los que sean responsables en su ámbito de competencia, y conforme a lo dispuesto en el artículo 57.1 de la Ley Orgánica 3/2018, de 5 de diciembre, y en la normativa autonómica aplicable.

Dichas autoridades se regirán por esta Ley Orgánica respecto de los tratamientos sometidos a la misma, de acuerdo con los principios de cooperación institucional, coordinación de criterios e información mutua, y por lo establecido en el Título VII de la Ley Orgánica 3/2018, de 5 de diciembre, y en sus normas de creación, así como por lo que establezcan sus normas de desarrollo.

La Agencia Española de Protección de Datos actuará como representante de las autoridades de protección de datos en el Comité Europeo de Protección de Datos.

Artículo 49. *Funciones*

1. Las autoridades de protección de datos ejercerán, respecto de los tratamientos sometidos a esta Ley Orgánica, las siguientes funciones:

a) Supervisar y hacer cumplir las disposiciones adoptadas con arreglo a esta Ley Orgánica.

b) Promover la sensibilización y la comprensión de la ciudadanía acerca de los riesgos, normas, garantías y derechos relativos al tratamiento.

c) Asesorar a las Cortes Generales, al Gobierno de la Nación y a los organismos dependientes o vinculados a la Administración General del Estado, así como, de acuerdo con su ámbito competencial, a las Asambleas Legislativas de las comunidades autónomas, los Consejos de Gobierno y los organismos dependientes o vinculados a la Administración de las comunidades autónomas, acerca de las medidas legislativas y administrativas relativas a la protección de los derechos y libertades de las personas físicas con respecto al tratamiento.

d) Promover la sensibilización de los responsables y encargados del tratamiento en relación con las obligaciones que les incumben.

e) Facilitar la información solicitada por los interesados sobre el ejercicio de sus derechos en virtud de esta Ley Orgánica y, en su caso, cooperar a tal fin con las autoridades de protección de datos de otros Estados miembros de la Unión Europea.

f) Tramitar y responder las reclamaciones presentadas por un interesado o por una entidad, organización o asociación de conformidad con el artículo 55, e investigar, en la medida oportuna, el motivo de la reclamación e informar al reclamante sobre el curso y el resultado de la investigación en un plazo razonable.

g) Controlar, de acuerdo con lo dispuesto en el artículo 25, la licitud del tratamiento e informar al interesado en un plazo razonable sobre el resultado del control o sobre los motivos por los que no se ha llevado a cabo.

h) Cooperar, en particular compartiendo información, con otras autoridades de protección de datos y prestarse asistencia mutua.

i) Llevar a cabo investigaciones sobre la aplicación de esta Ley Orgánica, en particular basándose en la información recibida de otra autoridad de protección de datos u otra autoridad pública.

j) Realizar un seguimiento de acontecimientos que sean de interés, en la medida en que tengan incidencia en la protección de datos personales, de manera concreta sobre el desarrollo de las tecnologías de la información y la comunicación.

k) Prestar asesoramiento sobre las operaciones de tratamiento contempladas en el artículo 36.

l) Contribuir a las actividades del Comité Europeo de Protección de Datos.

m) Informar todas las disposiciones legales o reglamentarias que afecten a tratamientos sometidos a esta Ley Orgánica.

2. Las autoridades de protección de datos adoptarán medidas tendentes a facilitar la formulación de las reclamaciones incluidas en el párrafo 1f), tales como proporcionar formularios que puedan cumplimentarse electrónicamente, sin excluir otros medios.

3. El desempeño de las funciones de las autoridades de control no implicará coste alguno para el interesado ni para el delegado de protección de datos.

4. Cuando las solicitudes sean manifiestamente infundadas o excesivas, especialmente debido a su carácter repetitivo, la autoridad de protección de datos podrá negarse a actuar respecto de la solicitud. La carga de la demostración del carácter manifiestamente infundado o excesivo de la solicitud recaerá en la autoridad de protección de datos.

Artículo 50. *Potestades*

Las autoridades de protección de datos tendrán atribuidas, en el ámbito de esta Ley Orgánica, las siguientes potestades:

a) De investigación, incluyendo el acceso a todos los datos que estén siendo tratados por el responsable o el encargado del tratamiento, en los términos previstos por la legislación vigente.

b) De advertencia y control de lo exigido en esta Ley Orgánica, incluida la sanción de las infracciones cometidas, la elaboración de recomendaciones, órdenes de rectificación, supresión o limitación del tratamiento de datos personales o de limitación temporal o definitiva del tratamiento, incluida su prohibición, así como la orden a los responsables del tratamiento de comunicar las vulneraciones de seguridad de los datos a los interesados.

c) De asesoramiento, que comprende la consulta previa prevista en el artículo 36 y la emisión, por propia iniciativa o previa solicitud, de dictámenes destinados a las Cortes Generales o al Gobierno, a otras instituciones u organismos, así como al público en general, acerca de todo asunto relacionado con la protección de datos personales sujeto a esta Ley Orgánica.

Artículo 51. *Asistencia entre autoridades de protección de datos de los Estados miembros de la Unión Europea*

1. Las autoridades de protección de datos españolas facilitarán la asistencia y cooperación necesaria a las autoridades de protección de datos de otros Estados miembros de la Unión Europea, debiendo responder a las solicitudes de estas sin dilación indebida, y en cualquier caso, en el plazo máximo de un mes desde su recepción. La asistencia mutua abarcará, en particular, las solicitudes de información y las medidas de control, así como las solicitudes para llevar a cabo consultas, inspecciones e investigaciones.

2. Las autoridades de protección de datos españolas podrán solicitar, en el ejercicio de sus funciones, la asistencia y cooperación de las autoridades de protección de datos de otros Estados miembros de la Unión Europea.

Las solicitudes deberán contener toda la información necesaria para su contestación, incluidos los motivos y la finalidad de la solicitud. La información intercambiada se utilizará únicamente para el fin para el que haya sido solicitada.

3. Las contestaciones de las autoridades de protección de datos españolas deberán indicar los resultados obtenidos o las medidas adoptadas con base en la solicitud recibida. Estas respuestas serán remitidas en formato electrónico, en la medida de lo posible.

4. La solicitud de asistencia procedente de una autoridad de protección de datos de un Estado miembro de la Unión Europea únicamente podrá negarse a ser atendida, de manera motivada, cuando la autoridad de protección de datos española no sea competente respecto al objeto o a las medidas solicitadas, o bien cuando el hecho de atender la solicitud vulnere la legislación española o el Derecho de la Unión Europea. Se informará, en su caso, de la restricción de los derechos del interesado adoptada en aplicación del artículo 24.

5. Las medidas adoptadas con ocasión de una solicitud de asistencia mutua serán gratuitas, sin perjuicio de que en circunstancias excepcionales puedan pactarse indemnizaciones por gastos específicos derivados de la prestación de la asistencia.

CAPÍTULO VII. Reclamaciones

Artículo 52. *Régimen aplicable a los procedimientos tramitados ante las autoridades de protección de datos*

1. En el caso de que los interesados aprecien que el tratamiento de los datos personales haya infringido las disposiciones de esta Ley Orgánica o no haya sido atendida su solicitud de ejercicio de los derechos reconocidos en los artículos 21, 22 y 23 tendrán derecho a presentar una reclamación ante la autoridad de protección de datos.

2. Dichas reclamaciones serán tramitadas por la autoridad de protección de datos competente con sujeción al procedimiento establecido en el título VIII de la Ley Orgánica 3/2018, de 5 de diciembre, y, en su caso, a la legislación de las Comunidades Autónomas que resulte de aplicación. Tendrán carácter subsidiario las normas generales sobre

los procedimientos administrativos y el régimen jurídico del sector público.

3. En el caso de que la actuación provenga de un órgano judicial o del Ministerio Fiscal cuando se realice el tratamiento con fines jurisdiccionales la responsabilidad se regirá por lo dispuesto en el Título V del Libro III de la Ley Orgánica 6/1985, de 1 de julio, del Poder Judicial.

4. Sin perjuicio de lo dispuesto en el artículo 55, todo interesado tendrá derecho a interponer recurso contencioso-administrativo, de acuerdo con su normativa reguladora, en caso de que la autoridad de protección de datos competente no dicte resolución expresa y se la notifique en el plazo de tres meses.

Artículo 53. *Derecho a indemnización por entes del sector público*

1. Los interesados tendrán derecho a ser indemnizados por el responsable del tratamiento, o por el encargado del tratamiento cuando formen parte del sector público, en el caso de que sufran daño o lesión en sus bienes o derechos como consecuencia del incumplimiento de lo dispuesto en esta Ley Orgánica.

2. Cuando quien incumpla lo dispuesto en esta Ley Orgánica tenga la consideración de Administración pública, la responsabilidad se exigirá de acuerdo con la legislación reguladora del régimen de responsabilidad patrimonial previsto en la normativa sobre el procedimiento administrativo común de las Administraciones públicas y sobre el régimen jurídico del sector público.

3. En el caso de que la actuación provenga de un órgano judicial o del Ministerio Fiscal cuando se realice el tratamiento con fines jurisdiccionales la responsabilidad se regirá por lo dispuesto en el Título V del Libro III de la Ley Orgánica 6/1985, de 1 de julio, del Poder Judicial.

Artículo 54. *Derecho a indemnización por encargados del tratamiento del sector privado*

1. Los interesados que sufran daño o lesión en sus bienes o derechos por parte del encargado del tratamiento que no forme parte del

sector público, como consecuencia del incumplimiento de lo dispuesto en esta Ley Orgánica, tendrán derecho a ser indemnizados.

2. El encargado del tratamiento estará obligado a indemnizar todos los daños y perjuicios que cause a los interesados o a terceros como resultado de las operaciones de tratamientos de datos previstas en el contrato u otro instrumento o acto jurídico suscrito con el responsable del tratamiento conforme al artículo 30, de conformidad con el régimen de responsabilidad del contratista por los daños causados a terceros regulado en la normativa sobre contratos del sector público.

3. Cuando tales daños y perjuicios hayan sido ocasionados como consecuencia inmediata y directa de una orden de la autoridad competente responsable del tratamiento, será esta la responsable.

4. Los interesados o los terceros perjudicados podrán requerir al responsable del tratamiento, dentro del año siguiente a la producción del hecho, para que informe, una vez oído el encargado del tratamiento, acerca de a cuál de las partes contratantes o de las que hayan suscrito el acto jurídico conforme al artículo 30, corresponde la responsabilidad de los daños. El ejercicio de esta facultad interrumpe el plazo de prescripción de la acción.

5. Con independencia de lo previsto en los apartados anteriores, el encargado del tratamiento que no forme parte del sector público responderá de los daños y perjuicios que durante las operaciones de tratamiento de datos cause. Deberá hacerlo tanto respecto del responsable del tratamiento, como respecto del interesado o de terceros por incumplimientos de esta Ley Orgánica, de infracciones de preceptos legales o reglamentarios, o por el incumplimiento de las previsiones contenidas en el contrato o en otro acto jurídico suscrito. El encargado del tratamiento que no forme parte del sector público deberá haber incurrido en actuaciones que le sean imputables, sin perjuicio de la aplicación del régimen sancionador, en su caso.

Artículo 55. *Tutela judicial efectiva*

1. Sin perjuicio de cualquier otro recurso administrativo o reclamación, toda persona física o jurídica tendrá derecho a recurrir ante la jurisdicción contencioso-administrativa, de acuerdo con su legislación reguladora, contra los actos y resoluciones dictadas por la autoridad de protección de datos competente.

2. El interesado podrá conferir su representación a una entidad, organización o asociación sin ánimo de lucro que haya sido correctamente constituida, cuyos objetivos estatutarios sean de interés público y que actúe en el ámbito de la protección de los derechos y libertades de los interesados en materia de protección de sus datos personales, para que ejerza los derechos contemplados en el apartado anterior.

CAPÍTULO VIII. Régimen sancionador

Artículo 56. *Sujetos responsables*

1. La responsabilidad por las infracciones cometidas recaerá directamente en los sujetos obligados que, por acción u omisión, realizaran la conducta en que consista la infracción.

2. Están sujetos al régimen sancionador:

a) Los responsables de los tratamientos.

b) Los encargados de los tratamientos.

c) Los representantes de los encargados no establecidos en el territorio de la Unión Europea.

d) El resto de las personas físicas o jurídicas obligadas por el contenido del deber de colaboración establecido en el artículo 7.

3. No será de aplicación el régimen sancionador establecido en este capítulo al delegado de protección de datos.

Artículo 57. *Concurso de normas*

1. Los hechos susceptibles de ser calificados con arreglo a dos o más preceptos de esta u otra Ley, siempre que no constituyan infracciones al Reglamento General de Protección de Datos, ni a la Ley

Orgánica 3/2018, de 5 de diciembre, se sancionarán observando las siguientes reglas:

a) El precepto especial se aplicará con preferencia al general.

b) El precepto más amplio o complejo absorberá el que sancione las infracciones subsumidas en aquel.

c) En defecto de los criterios anteriores, se aplicará el precepto que sancione los hechos con la sanción mayor.

2. En el caso de que un solo hecho constituya dos o más infracciones, o cuando una de ellas sea medio necesario para cometer la otra, la conducta será sancionada por aquella infracción que conlleve una mayor sanción.

Artículo 58. *Infracciones muy graves*

Son infracciones muy graves:

a) El tratamiento de datos personales que vulnere los principios y garantías establecidos en el artículo 6 o sin que concurra alguna de las condiciones de licitud del tratamiento establecidas en el artículo 11, siempre que se causen perjuicios de carácter muy grave a los interesados.

b) El acceso, cesión, alteración y divulgación de los datos al margen de los supuestos autorizados por el responsable o encargado de los datos, siempre que no constituya ilícito penal.

c) La transferencia temporal o definitiva de datos de carácter personal con destino a Estados que no sean miembros de la Unión Europea o a destinatarios que no sean autoridades competentes, establecidos en dichos Estados incumpliendo las condiciones previstas en los artículos 43 y 47.

d) La utilización de los datos para una finalidad que no sea compatible con el objetivo para el que fueron recogidos o cuando no se cumplan las condiciones establecidas en el artículo 6, siempre que no se cuente con una base legal para ello.

e) El tratamiento de datos personales de las categorías especiales sin que concurra alguna de las circunstancias previstas en el artículo

13 o sin garantizar las medidas de seguridad adecuadas, que cause perjuicios graves a los interesados.

f) La omisión del deber de informar al interesado acerca del tratamiento de sus datos de carácter personal conforme a lo dispuesto en esta Ley Orgánica.

g) La vulneración del deber de confidencialidad del encargado del tratamiento, establecido en el artículo 30.

h) La adopción de decisiones individuales automatizadas sin las garantías señaladas en el artículo 14, siempre que se causen perjuicios de carácter muy grave para los interesados.

i) El impedimento, la obstaculización o la falta de atención reiterada del ejercicio de los derechos del interesado de acceso, rectificación, supresión de sus datos o limitación del tratamiento, siempre que se causen perjuicios de carácter muy grave para los interesados.

j) La negativa a proporcionar a las autoridades competentes la información necesaria para la prevención, detección, investigación y enjuiciamiento de infracciones penales, para la ejecución de sanciones penales o para la protección y prevención frente a las amenazas contra la seguridad pública de acuerdo con lo previsto en el artículo 7, así como a informar al interesado cuando se comuniquen sus datos en virtud del deber de colaboración establecido en dicho artículo.

k) La resistencia u obstrucción del ejercicio de la función inspectora de las autoridades de protección de datos competentes.

l) La falta de notificación a las autoridades de protección de datos competentes acerca de una violación de la seguridad de los datos personales, cuando sea exigible, así como la ausencia de comunicación al interesado de una violación de la seguridad cuando sea procedente de acuerdo con el artículo 39, siempre que se deriven perjuicios de carácter muy grave para el interesado.

m) El incumplimiento de las resoluciones dictadas por las autoridades de protección de datos competentes, en el ejercicio de las potestades que le confiere el artículo 50.

n) No facilitar el acceso del personal de las autoridades de protección de datos competentes a los datos personales, información, locales, equipos y medios de tratamiento, cuando sean requeridos por las mismas, en el ejercicio de sus poderes de investigación.

ñ) El incumplimiento de los plazos de conservación y revisión establecidos en virtud del artículo 8.

Artículo 59. *Infracciones graves*

Son infracciones graves:

a) El tratamiento de los datos de carácter personal cuando se incumplan los principios del artículo 6 o las condiciones de licitud del tratamiento del artículo 11, siempre que no constituya una infracción muy grave.

b) El tratamiento de datos personales de las categorías especiales sin que concurra alguna de las circunstancias previstas en el artículo 13 o sin garantizar las medidas de seguridad adecuadas, siempre que no constituya una infracción muy grave.

c) La adopción de decisiones individuales automatizadas sin las garantías señaladas en el artículo 14, siempre que no constituya una infracción muy grave.

d) La falta de designación de un delegado de protección de datos en los términos previstos en el artículo 40 o no posibilitar la efectiva participación del mismo en todas las cuestiones relativas a la protección de datos personales, no respaldarlo o interferir en el desempeño de sus funciones.

e) El incumplimiento de la puesta a disposición al interesado de la información prevista en el artículo 21 o del deber de comunicación al mismo, o a la autoridad de protección de datos competente, de una violación de la seguridad de los datos, que entrañe un grave perjuicio para los derechos y libertades del interesado.

f) La ausencia de adopción de aquellas medidas técnicas y organizativas que resulten apropiadas para aplicar de forma efectiva los principios de protección de datos, incluidas las medidas oportunas desde el diseño y por defecto, así como para integrar las garantías necesarias en el tratamiento.

g) El impedimento, la falta de atención o la obstaculización de los derechos del interesado de acceso, rectificación, supresión de sus datos o limitación del tratamiento, siempre que no constituya infracción muy grave.

h) El incumplimiento de la obligación de llevanza de los registros de actividades de tratamiento o del registro de operaciones de tratamiento, si se causan perjuicios de carácter grave a los interesados.

i) El incumplimiento de las estipulaciones recogidas en el contrato u acto jurídico que vincula al responsable y al encargado del tratamiento, salvo en los supuestos en que fuese necesario para evitar la infracción de la legislación en materia de protección de datos y se hubiese advertido de ello al responsable o al encargado del tratamiento, así como el incumplimiento de las obligaciones impuestas en el artículo 30.

j) La falta de colaboración diligente con las autoridades competentes en el cumplimiento de las obligaciones establecidas en el artículo 7, cuando no constituya una infracción muy grave.

k) La falta de cooperación, la actuación negligente o el impedimento de la función inspectora de las autoridades de protección de datos competentes, cuando no constituya infracción muy grave.

l) El incumplimiento de la evaluación de impacto en la protección de los datos de carácter personal, si se derivan perjuicios o riesgos de carácter grave para los interesados.

m) El tratamiento de datos personales sin haber consultado previamente a la autoridad de protección de datos competente, en los casos en que dicha consulta resulte preceptiva conforme al artículo 36.

Artículo 60. *Infracciones leves*

Son infracciones leves:

a) La afectación leve de los derechos de los interesados como consecuencia de la ausencia de la debida diligencia o del carácter inadecuado o insuficiente de las medidas técnicas y organizativas que se hubiesen implantado.

b) El incumplimiento del principio de transparencia de la información o del derecho de información del interesado establecido en el artículo 21 cuando no se facilite toda la información exigida en esta Ley Orgánica.

c) La inobservancia de la obligación de informar al interesado y a los destinatarios a los que se hayan comunicado o de los que procedan los datos personales rectificados, suprimidos o respecto de los que se haya limitado el tratamiento, conforme a lo establecido en el artículo 23.

d) El incumplimiento de la llevanza de registros de actividades de tratamiento o del registro de operaciones o que los mismos no incorporen toda la información exigida legalmente, siempre que no constituya infracción grave.

e) El incumplimiento de la obligación de suprimir los datos referidos a una persona fallecida cuando fuera exigible legalmente.

f) La falta de formalización por los corresponsables del tratamiento del acuerdo que determine las obligaciones, funciones y responsabilidades respectivas, a propósito del tratamiento de datos personales y de sus relaciones con los interesados, así como la inexactitud o la falta de concreción en la determinación de las mismas.

g) El incumplimiento de la obligación del encargado del tratamiento de informar al responsable del tratamiento acerca de una posible infracción de las disposiciones de esta Ley Orgánica, como consecuencia de una instrucción recibida de este.

h) La notificación incompleta o defectuosa a la autoridad de protección de datos competente de la información relacionada con una violación de seguridad de los datos personales, el incumplimiento de la obligación de documentarla o del deber de comunicar al interesado su existencia, cuando no constituya una infracción grave.

i) La aportación de información inexacta o incompleta a la autoridad de protección de datos competente, en los supuestos en los que el responsable del tratamiento deba elevarle una consulta previa.

j) La falta de publicación de los datos de contacto del delegado de protección de datos, o la ausencia de comunicación de su designación y cese a la autoridad de protección de datos competente, de conformidad con el artículo 40, cuando su nombramiento sea exigible de acuerdo con esta Ley Orgánica.

Artículo 61. *Régimen jurídico*

El ejercicio de la potestad sancionadora, que corresponde a las Autoridades de protección de datos competentes, se regirá por lo dispuesto en el presente Capítulo, por los títulos VII y IX de la Ley Orgánica 3/2018, de 5 de diciembre, y, en cuanto no las contradigan, con carácter supletorio, por la normativa sobre procedimiento administrativo común de las Administraciones públicas y el régimen jurídico del sector público.

Artículo 62. *Sanciones*

Por la comisión de las infracciones tipificadas en esta Ley Orgánica se impondrán las siguientes sanciones:

1. En caso de que el sujeto responsable sea algunos de los enumerados en el artículo 77.1 de la Ley Orgánica 3/2018, de 5 de diciembre, se impondrán las sanciones y se adoptarán las medidas establecidas en dicho artículo.

2. En caso de que el sujeto infractor sea distinto de los señalados en el artículo 77.1 de la Ley Orgánica 3/2018, de 5 de diciembre, podrá ser sancionado, con multa de la siguiente cuantía:

a) Las infracciones muy graves, con multa de 360.001 a 1.000.000 euros.

b) Las infracciones graves, con multa de 60.001 a 360.000 euros.

c) Las leves, con multa de 6.000 a 60.000 euros.

A efectos de la determinación de la cuantía de la sanción, se tendrán en cuenta los criterios establecidos en el artículo 83.2 del Reglamento General de Protección de Datos y en el artículo 76.2 de la Ley Orgánica 3/2018, de 5 de diciembre.

Artículo 63. *Prescripción de las infracciones y sanciones*

1. Las infracciones administrativas tipificadas en esta Ley Orgánica prescribirán a los seis meses, a los dos o a los tres años de haberse cometido, según sean leves, graves o muy graves, respectivamente.

Los plazos señalados en esta Ley Orgánica se computarán desde el día en que se haya cometido la infracción. No obstante, en los casos de infracciones continuadas o permanentes, los plazos se computarán desde que finalizó la conducta infractora.

Interrumpirá la prescripción la iniciación, con conocimiento del interesado, del procedimiento sancionador, reiniciándose el plazo de prescripción si el expediente sancionador estuviere paralizado durante más de seis meses por causas no imputables al presunto infractor.

Se interrumpirá igualmente la prescripción como consecuencia de la apertura de un procedimiento judicial penal, hasta que la autoridad judicial comunique al órgano administrativo su finalización.

2. Las sanciones impuestas por infracciones muy graves prescribirán a los tres años, las impuestas por infracciones graves, a los dos años, y las impuestas por infracciones leves al año, computados desde el día siguiente a aquel en que adquiera firmeza en vía administrativa la resolución por la que se impone la sanción.

La prescripción se interrumpirá por la iniciación, con conocimiento del interesado, del procedimiento de ejecución, volviendo a transcurrir el plazo si el mismo está paralizado durante más de seis meses por causa no imputable al infractor.

Artículo 64. *Caducidad del procedimiento*

1. El procedimiento caducará transcurridos seis meses desde su incoación sin que se haya notificado la resolución, debiendo, no obs-

tante, tenerse en cuenta en el cómputo las posibles paralizaciones por causas imputables al interesado o la suspensión que debiera acordarse por la existencia de un procedimiento judicial penal, cuando concurra identidad de sujeto, hecho y fundamento, hasta la finalización de este.

2. La resolución que declare la caducidad se notificará al interesado y pondrá fin al procedimiento, sin perjuicio de que la administración pueda acordar la incoación de un nuevo procedimiento en tanto no haya prescrito la infracción. Los procedimientos caducados no interrumpirán el plazo de prescripción.

Artículo 65. *Carácter subsidiario del procedimiento administrativo sancionador respecto del penal*

1. No podrán sancionarse los hechos que hayan sido sancionados penal o administrativamente cuando se aprecie identidad de sujeto, de hecho y de fundamento.

2. En los supuestos en que las conductas pudieran ser constitutivas de delito, el órgano administrativo pasará el tanto de culpa a la autoridad judicial o al Ministerio Fiscal y se abstendrá de seguir el procedimiento sancionador mientras la autoridad judicial no dicte sentencia firme o resolución que de otro modo ponga fin al procedimiento penal, o el Ministerio Fiscal no acuerde la improcedencia de iniciar o proseguir las actuaciones en vía penal, quedando hasta entonces interrumpido el plazo de prescripción.

La autoridad judicial y el Ministerio Fiscal comunicarán al órgano administrativo la resolución o acuerdo que hubieran adoptado.

3. De no haberse estimado la existencia de ilícito penal, o en el caso de haberse dictado resolución de otro tipo que ponga fin al procedimiento penal, podrá iniciarse o proseguir el procedimiento sancionador. En todo caso, el órgano administrativo quedará vinculado por los hechos declarados probados en vía judicial.

4. Las medidas cautelares adoptadas antes de la intervención judicial podrán mantenerse mientras la autoridad judicial no resuelva otra cosa.

Disposiciones adicionales

Disposición adicional primera. *Regímenes específicos*

1. El tratamiento de los datos personales procedentes de las imágenes y sonidos obtenidos mediante la utilización de cámaras y videocámaras por las Fuerzas y Cuerpos de Seguridad, por los órganos competentes para la vigilancia y control en los centros penitenciarios y para el control, regulación, vigilancia y disciplina del tráfico, para los fines previstos en al artículo 1, se regirá por esta Ley Orgánica, sin perjuicio de los requisitos establecidos en regímenes legales especiales que regulan otros ámbitos concretos como el procesal penal, la regulación del tráfico o la protección de instalaciones propias.

2. Fuera de estos supuestos, dichos tratamientos se regirán por su legislación específica y supletoriamente por el Reglamento (UE) 2016/679 y por la Ley Orgánica 3/2018, de 5 de diciembre.

Disposición adicional segunda. *Intercambio de datos dentro de la Unión Europea*

El intercambio de datos personales por parte de las autoridades competentes españolas en el interior de la Unión Europea, cuando el Derecho de la Unión Europea o la legislación española exijan dicho intercambio, no estará limitado ni prohibido por motivos relacionados con la protección de las personas físicas respecto al tratamiento de sus datos personales.

Disposición adicional tercera. *Acuerdos internacionales en el ámbito de la cooperación judicial en materia penal y de la cooperación policial*

Los acuerdos internacionales en el ámbito de la cooperación judicial en materia penal y de la cooperación policial que impliquen la transferencia de datos personales a Estados que no sean miembros de la Unión Europea u organizaciones internacionales y que hubieran sido celebrados por España antes del 6 de mayo de 2016, cumpliendo lo dispuesto en el Derecho de la Unión Europea aplicable antes de dicha fecha, seguirán en vigor hasta que sean objeto de modificación, enmienda o terminación.

Disposición adicional cuarta. *Ficheros y Registro de Población de las Administraciones Públicas*

1. Las autoridades competentes podrán solicitar al Instituto Nacional de Estadística y a los órganos estadísticos de ámbito autonómico, sin consentimiento del interesado, una copia actualizada del fichero formado con los datos del documento de identidad, nombre, apellidos, domicilio, sexo y fecha de nacimiento que constan en el padrón municipal de habitantes y en el censo electoral correspondiente a los territorios donde ejerzan sus competencias. Esta solicitud deberá estar motivada en base a cualquiera de los fines de prevención, detección, investigación y enjuiciamiento de infracciones penales o de ejecución de sanciones penales, incluidas la protección y la prevención frente a las amenazas contra la seguridad pública.

2. Los datos obtenidos tendrán como único propósito el cumplimiento de los fines de prevención, detección, investigación y enjuiciamiento de infracciones penales o de ejecución de sanciones penales, así como de protección y de prevención frente a las amenazas contra la seguridad pública y la comunicación de estas autoridades con los interesados residentes en los respectivos territorios, respecto a las relaciones jurídico-administrativas derivadas de las competencias respectivas.

Disposición adicional quinta. *Referencias normativas*

Las referencias contenidas en normas vigentes en relación a las disposiciones que se derogan expresamente, deberán entenderse efectuadas a los artículos de esta Ley Orgánica que regulan la misma materia que aquellas.

Disposición transitoria

Disposición transitoria única. *Duración del mandato inicial de la persona titular de la Dirección de Supervisión y Control de Protección de datos del Consejo General del Poder Judicial*

La duración del mandato del primer nombramiento de la persona titular de la Dirección de Supervisión y Control de Protección de datos del Consejo General del Poder Judicial será de tres años no renovable.

Disposición derogatoria

Disposición derogatoria única. *Derogación normativa*

Quedan derogadas todas las normas de igual o inferior rango en lo que contradigan o se opongan a lo dispuesto en esta Ley Orgánica.

Disposiciones finales

Disposición final primera. *Modificación de la Ley Orgánica 1/1979, de 26 de septiembre, General Penitenciaria*

Se introduce un nuevo artículo 15 bis en la Ley Orgánica 1/1979, de 26 de septiembre, General Penitenciaria, que queda redactado como sigue:

«Artículo 15 bis. Tratamientos de datos de carácter personal.

1. Admitido en el establecimiento un interno, se procederá a verificar su identidad personal, efectuando la reseña alfabética, dactilar y fotográfica, así como a la inscripción en el libro de ingresos y a la apertura de un expediente personal relativo a su situación procesal y penitenciaria, respecto del que se reconoce el derecho de acceso. Este derecho sólo se verá limitado de forma individualizada y fundamentada en concretas razones de seguridad o tratamiento.

2. El tratamiento de los datos personales de los internos se regirá por lo previsto en la Ley Orgánica de protección de datos personales tratados para fines de prevención, detección, inves-

tigación y enjuiciamiento de infracciones penales y de ejecución de sanciones penales. Los datos personales de categorías especiales que no figuren en el apartado anterior se podrán tratar con el consentimiento del interesado. Sólo se prescindirá de dicho consentimiento cuando sea estrictamente necesario y se efectúe con las garantías adecuadas para proteger el derecho a la protección de datos de los interesados, atendiendo al tipo de datos que se traten y a las finalidades de los distintos tratamientos dirigidos a la ejecución de la pena.

3. Igualmente se procederá al cacheo de su persona y al registro de sus efectos, retirándose los enseres y objetos no autorizados.

4. En el momento del ingreso se adoptarán las medidas de higiene personal necesarias, entregándose al interno las prendas de vestir adecuadas que precise, firmando el mismo su recepción.»

Disposición final segunda. *Modificación de la Ley 50/1981, de 30 de diciembre, reguladora del Estatuto Orgánico del Ministerio Fiscal*

Uno. Se modifica el artículo 12 para incluir en nuevo apartado n) con la siguiente redacción:

«n) La Unidad de Supervisión y Control de Protección de Datos.»

Dos. Se modifica el artículo 20 incluyendo un nuevo apartado Cuatro con la siguiente redacción:

«Cuatro. En la Fiscalía General del Estado, de igual modo, existirá la Unidad de Supervisión y Control de Protección de Datos que ejercerá las competencias que corresponden a la autoridad de protección de datos con fines jurisdiccionales sobre el tratamiento de los mismos realizado por el Ministerio Fiscal, de acuerdo con lo establecido en el artículo 236 octies de la Ley Orgánica del Poder Judicial en el ámbito de sus competencias y facultades. Su regulación se remitirá a los términos previstos en la Ley Orgánica del Poder Judicial en cuanto le sea de aplicación.

Al frente de la Unidad de Supervisión y Control de Protección de Datos se nombrará por mayoría absoluta del Pleno del Consejo Fiscal una persona titular de la Unidad, de entre juristas de reconocida competencia con al menos quince años de ejercicio profesional y con conocimientos y experiencia acreditados en materia de protección de datos.

La duración del mandato de la persona titular de la Unidad de Supervisión y Control de Protección de Datos será de cinco años, no renovable. Durante su mandato permanecerá, en su caso, en situación de servicios especiales y ejercerá exclusivamente las funciones inherentes a su cargo. Sólo podrá ser cesada por incapacidad o incumplimiento grave de sus deberes, apreciados por el Pleno mediante mayoría absoluta.

El régimen de incompatibilidades de la persona titular de la Unidad de Supervisión y Control de Protección de Datos será el mismo que el establecido para los Fiscales al servicio de los órganos técnicos de la Fiscalía General del Estado. La persona titular de la Unidad de Supervisión y Control de Protección de Datos deberá ejercer sus funciones con absoluta independencia y neutralidad.

La persona titular y el resto de personal adscrito a la Unidad de Supervisión y Control de Protección de Datos estarán sujetos al deber de secreto profesional, tanto durante su mandato como después del mismo, con relación a las informaciones confidenciales de las que hayan tenido conocimiento en el cumplimiento de sus funciones o el ejercicio de sus atribuciones. Este deber de secreto profesional se aplicará en particular a la información que faciliten las personas físicas a la Unidad de Supervisión y Control de Protección de Datos en materia de infracciones de la presente normativa.

La composición, organización y funcionamiento de la Unidad de Supervisión y Control de Protección de Datos será regulada reglamentariamente. Se deberá velar porque la Unidad cuente, en todo caso, con todos los medios personales y materiales necesarios para el adecuado ejercicio de sus funciones.»

Tres. Se modifica el artículo 14 para incluir en el apartado 4 una nueva letra l) con el contenido siguiente:

«l) Nombrar por mayoría absoluta a la persona titular de la Unidad de Supervisión y Control de Protección de Datos.»

Disposición final tercera. *Modificación de la Ley Orgánica 6/1985 de 1 de julio, del Poder Judicial*

Los artículos que se relacionan quedarán modificados en los términos siguientes:

Uno. El artículo 234 queda redactado como sigue:

«Artículo 234.

1. Los Letrados de la Administración de Justicia y funcionarios competentes de la oficina judicial y de la oficina fiscal facilitarán a los interesados cuanta información soliciten sobre el estado de las actuaciones procesales, que podrán examinar y conocer, salvo que sean o hubieren sido declaradas secretas o reservadas conforme a la ley.

2. Las partes y cualquier persona que acredite un interés legítimo y directo tendrán derecho a obtener, en la forma dispuesta en las leyes procesales y, en su caso, en la Ley 18/2011, de 5 de julio, reguladora del uso de las tecnologías de la información y la comunicación en la Administración de Justicia, copias simples de los escritos y documentos que consten en los autos, no declarados secretos ni reservados. También tendrán derecho a que se les expidan los testimonios y certificados en los casos y a través del cauce establecido en las leyes procesales.»

Dos. El artículo 235 queda redactado como sigue:

«Artículo 235.

El acceso a las resoluciones judiciales, o a determinados extremos de las mismas, o a otras actuaciones procesales, por quienes no son parte en el procedimiento y acrediten un interés legítimo y directo, podrá llevarse a cabo previa disociación, anonimización u otra medida de protección de los datos de carácter personal que las mismos contuvieren y con pleno respeto al derecho a la intimidad, a los derechos de las personas que requieran un especial deber de tutela o a la garantía del anonimato de las víctimas o perjudicados, cuando proceda.»

Tres. El artículo 235 bis queda redactado como sigue:

«Artículo 235 bis.

1. Es público el acceso a los datos personales contenidos en los fallos de las sentencias firmes condenatorias, cuando se hubieren dictado en virtud de los delitos previstos en los siguientes artículos:

a) Los artículos 305, 305 bis y 306 de la Ley Orgánica 10/1995, de 23 de noviembre, del Código Penal.

b) Los artículos 257 y 258 de la Ley Orgánica 10/1995, de 23 de noviembre, del Código Penal, cuando el acreedor defraudado hubiese sido la Hacienda Pública.

c) El artículo 2 de la Ley Orgánica 12/1995, de 12 de diciembre, de Represión del Contrabando, siempre que exista un perjuicio para la Hacienda Pública estatal o de la Unión Europea.

2. En los casos previstos en el apartado anterior, el Letrado de la Administración de Justicia emitirá certificado en el que se harán constar los siguientes datos:

a) Los que permitan la identificación del proceso judicial.

b) Nombre y apellidos o denominación social del condenado y, en su caso, del responsable civil.

c) Delito por el que se le hubiera condenado.

d) Las penas impuestas.

e) La cuantía correspondiente al perjuicio causado a la Hacienda Pública por todos los conceptos, según lo establecido en la sentencia.

Mediante diligencia de ordenación el Letrado de la Administración de Justicia ordenará su publicación en el "Boletín Oficial del Estado".

3. Lo dispuesto en este artículo no será de aplicación en el caso de que el condenado o, en su caso, el responsable civil, hubiera satisfecho o consignado en la cuenta de depósitos y consignaciones del órgano judicial competente la totalidad de la cuantía correspondiente al perjuicio causado a la Hacienda Pública por todos los conceptos, con anterioridad a la firmeza de la sentencia.»

Cuatro. El artículo 236 queda redactado como sigue:

«Artículo 236.

La publicidad de los edictos se realizará a través del Tablón Edictal Judicial Único, en la forma en que se disponga reglamentariamente, incluyendo los datos estrictamente necesarios para cumplir con su finalidad.»

Cinco. El artículo 236 bis queda redactado como sigue:

«Artículo 236 bis.

1. El tratamiento de los datos personales podrá realizarse con fines jurisdiccionales o no jurisdiccionales. Tendrá fines jurisdiccionales el tratamiento de los datos que se encuentren incorporados a los procesos que tengan por finalidad el ejercicio de la actividad jurisdiccional.

2. El tratamiento de los datos personales en la Administración de Justicia se llevará cabo por el órgano competente y, dentro de él, por quien tenga la competencia atribuida por la normativa vigente.»

Seis. El artículo 236 ter queda redactado como sigue:

«Artículo 236 ter.

1. El tratamiento de los datos personales llevado a cabo con ocasión de la tramitación por los órganos judiciales y fiscalías de los procesos de los que sean competentes, así como el realizado dentro de la gestión de la Oficina judicial y fiscal, se regirá por lo dispuesto en el Reglamento (UE) 2016/679, la Ley Orgánica 3/2018 y su normativa de desarrollo, sin perjuicio de las especialidades establecidas en el presente Capítulo y en las leyes procesales.

2. En el ámbito de la jurisdicción penal, el tratamiento de los datos personales llevado a cabo con ocasión de la tramitación por los órganos judiciales y fiscalías de los procesos, diligencias o expedientes de los que sean competentes, así como el realizado dentro de la gestión de la Oficina judicial y fiscal, se regirá por lo dispuesto en la Ley Orgánica de protección de datos personales tratados con fines de prevención, detección, investigación o enjuiciamiento de infracciones penales y de ejecución de sanciones penales, sin perjuicio de las especialidades establecidas en el presente Capítulo y en las leyes procesales y, en su caso, en la Ley 50/1981, de 30 de diciembre, por la que se regula el Estatuto Orgánico del Ministerio Fiscal.

3. No será necesario el consentimiento del interesado para que se proceda al tratamiento de los datos personales en el ejercicio de la actividad jurisdiccional, ya sean éstos facilitados por las partes o recabados a solicitud de los órganos competentes, sin perjuicio de lo dispuesto en las normas procesales para la validez de la prueba.»

Siete. El artículo 236 quáter queda redactado como sigue:

«Artículo 236 quáter.

Cuando se proceda al tratamiento con fines no jurisdiccionales se estará a lo dispuesto en el Reglamento (UE) 2016/679, la Ley Orgánica 3/2018 y su normativa de desarrollo.»

Ocho. El artículo 236 quinquies queda redactado como sigue:

«Artículo 236 quinquies.

1. Las resoluciones y actuaciones procesales deberán contener los datos personales que sean adecuados, pertinentes y limitados a lo necesario en relación con los fines para los que son tratados, en especial para garantizar el derecho a la tutela judicial efectiva, sin que, en ningún caso, pueda producirse indefensión.

2. Los Jueces y Magistrados, los Fiscales y los Letrados de la Administración de Justicia, conforme a sus competencias, podrán adoptar las medidas que sean necesarias para la supresión de los datos personales de las resoluciones y de los documentos a los que puedan acceder las partes durante la tramitación del proceso siempre que no sean necesarios para garantizar el derecho a la tutela judicial efectiva, sin que, en ningún caso, pueda producirse indefensión.

3. Los datos personales que las partes conocen a través del proceso deberán ser tratados por éstas de conformidad con la normativa general de protección de datos. Esta obligación también incumbe a los profesionales que representan y asisten a las partes, así como a cualquier otro que intervenga en el procedimiento.

4. Se deberán comunicar a los órganos competentes dependientes del Consejo General del Poder Judicial, de la Fiscalía General del Estado y del Ministerio de Justicia, en lo que proceda, los datos tratados con fines jurisdiccionales que sean estrictamente necesarios para el ejercicio de las funciones de inspección y control establecidas en esta Ley, y su normativa de desarrollo. También se deberán facilitar los datos tratados con fines no jurisdiccionales cuando ello esté justificado por la interposición de un recurso o sea necesario para el ejercicio de las competencias que tengan legalmente atribuidas.

5. Las Oficinas de Comunicación establecidas en esta Ley, en el ejercicio de sus funciones de comunicación institucional, deberán velar por el respeto del derecho fundamental a la protección de datos personales de aquellos que hubieran intervenido en el procedimiento de que se trate. Para cumplir con su finalidad, podrán recabar los datos necesarios de las autoridades competentes.

6. Los Letrados de la Administración de Justicia deberán facilitar a la Abogacía del Estado los datos personales, la información y los documentos que sean requeridos para el desempeño de la representación y defensa del Reino de España ante el Tribunal Europeo de Derechos Humanos y otros órganos internacionales en materia de protección de derechos Humanos, en particular ante el Comité de Naciones Unidas. A tales efectos, se establecerán igualmente los mecanismos de comunicación con la Fiscalía General del Estado, a través de sus unidades competentes.»

Nueve. El artículo 236 sexies queda redactado como sigue:

«Artículo 236 sexies.

1. La Administración competente deberá suministrar los medios tecnológicos adecuados para que se proceda al tratamiento de los datos personales conforme a las disposiciones legales y reglamentarias.

2. La Administración competente deberá cumplir con las responsabilidades que en materia de tratamiento y protección de datos personales se le atribuya como administración prestacional.

3. Se deberán adoptar las medidas organizativas adecuadas para que la Oficina judicial y fiscal realice un adecuado tratamiento de los datos personales. Previo informe del Consejo General del Poder judicial, y, en su caso, de la Fiscalía General del Estado, el Ministerio de Justicia deberá elaborar y actualizar

los códigos de conducta destinados a contribuir a la correcta aplicación de la normativa de protección de datos personales en la Oficina judicial y fiscal, adecuando los principios de la normativa general a los propios de la regulación procesal y organización de la Oficina judicial y fiscal.

4. El Ministerio de Justicia y las Comunidades Autónomas con competencias en la materia, dentro de las políticas de apoyo a la Administración de Justicia y desarrollo de la gestión electrónica de los procedimientos, podrán realizar el tratamiento de datos no personales para el ejercicio de sus competencias de gestión pública, incluyendo el desarrollo e implementación de sistemas automáticos de clasificación documental orientados a la tramitación procesal, con cumplimiento de la normativa de interoperabilidad, seguridad y protección de datos que resulte aplicable.»

Diez. El artículo 236 septies queda redactado como sigue:

«Artículo 236 septies.

1. En relación con el tratamiento de los datos personales con fines jurisdiccionales, los derechos de información, acceso, rectificación, supresión, oposición y limitación se tramitarán conforme a las normas que resulten de aplicación al proceso en que los datos fueron recabados. Estos derechos deberán ejercitarse ante los órganos judiciales, fiscalías u Oficina judicial en los que se tramita el procedimiento, y las peticiones deberán resolverse por quien tenga la competencia atribuida en la normativa orgánica y procesal.

2. En todo caso se denegará el acceso a los datos objeto de tratamiento con fines jurisdiccionales cuando las diligencias procesales en que se haya recabado la información sean o hayan sido declaradas secretas o reservadas.

3. En relación con el tratamiento de los datos personales con fines no jurisdiccionales, los interesados podrán ejercitar los

derechos de información, acceso, rectificación, supresión, oposición y limitación en los términos establecidos en la normativa general de protección de datos.»

Once. El artículo 236 octies queda redactado como sigue:

«Artículo 236 octies.

1. Respecto a las operaciones de tratamiento efectuadas con fines jurisdiccionales por los Juzgados, Tribunales, Fiscalías, y las Oficinas judicial y fiscal, corresponderán al Consejo General del Poder Judicial y a la Fiscalía General del Estado, en el ámbito de sus respectivas competencias, las siguientes funciones:

a) Supervisar el cumplimiento de la normativa de protección de datos personales mediante el ejercicio de la labor inspectora otorgada en la presente Ley y el Estatuto Orgánico del Ministerio Fiscal.

b) Promover la sensibilización de los profesionales de la Administración de Justicia y su comprensión de los riesgos, normas, garantías, derechos y obligaciones en relación con el tratamiento.

c) Emitir informe sobre los códigos de conducta destinados a contribuir a la correcta aplicación de la normativa de protección de datos personales en la Oficina judicial y fiscal.

d) Previa solicitud, facilitar información a cualquier interesado en relación con el ejercicio de sus derechos en materia de protección de datos.

e) Tramitar y responder las reclamaciones presentadas por un interesado o por asociaciones, organizaciones y entidades que tengan capacidad procesal o legitimación para defender intereses colectivos, en los términos que determinen las leyes de aplicación al proceso en que los datos fueron recabados. Se informará al reclamante sobre el curso y resultado de la reclamación en un plazo razonable, previa realización de la investigación oportuna si se considera necesario.

2. Los tratamientos de datos con fines no jurisdiccionales estarán sometidos a la competencia de la Agencia Española de Protección de Datos, que también supervisará el cumplimiento de aquellos tratamientos que no sean competencia de las autoridades indicadas en el apartado anterior.

3. El Consejo General del Poder Judicial, la Fiscalía General del Estado y la Agencia Española de Protección de Datos colaborarán en aras del adecuado ejercicio de las respectivas competencias que la presente Ley Orgánica les atribuye en materia de protección de datos personales en el ámbito de la Administración de Justicia.

4. Cuando con ocasión de la realización de actuaciones de investigación relacionadas con la posible comisión de una infracción de la normativa de protección de datos, las autoridades competentes a las que se refieran los apartados anteriores apreciasen la existencia de indicios que supongan la competencia de otra autoridad, darán inmediatamente traslado a esta última a fin de que prosiga con la tramitación del procedimiento.»

Doce. El artículo 236 nonies, queda redactado como sigue:

«Artículo 236 nonies.

1. Las competencias que corresponden a la autoridad de protección de datos personales con fines jurisdiccionales serán ejercidas respecto del tratamiento de los mismos realizado por Juzgados y Tribunales de acuerdo con lo establecido en el artículo 236 octies, por la Dirección de Supervisión y Control de Protección de Datos del Consejo General del Poder Judicial.

2. Al frente de la Dirección de Supervisión y Control de Protección de Datos se nombrará por mayoría absoluta del Pleno del Consejo General del Poder Judicial una persona titular de la Dirección, de entre juristas de reconocida competencia con al menos quince años de ejercicio profesional y con conocimientos y experiencia acreditados en materia de protección de datos.

3. La duración del mandato de la persona titular de la Dirección de Supervisión y Control de Protección de Datos será de cinco años, no renovable. Durante su mandato permanecerá, en su caso, en situación de servicios especiales y ejercerá exclusivamente las funciones inherentes a su cargo. Sólo podrá ser cesada por incapacidad o incumplimiento grave de sus deberes, apreciados por el Pleno mediante mayoría absoluta.

4. El régimen de incompatibilidades de la persona titular de la Dirección de Supervisión y Control de Protección de Datos será el mismo que el establecido para los Magistrados al servicio de los órganos técnicos del Consejo General del Poder Judicial. La persona titular de la Dirección de Supervisión y Control de Protección de Datos deberá ejercer sus funciones con absoluta independencia y neutralidad.

5. La persona titular y el resto de personal adscrito a la Dirección de Supervisión y Control de Protección de Datos estarán sujetos al deber de secreto profesional, tanto durante su mandato como después del mismo, con relación a las informaciones confidenciales de las que hayan tenido conocimiento en el cumplimiento de sus funciones o el ejercicio de sus atribuciones. Este deber de secreto profesional se aplicará en particular a la información que faciliten las personas físicas a la Dirección de Supervisión y Control de Protección de Datos en materia de infracciones de la presente normativa.

6. La composición, organización y funcionamiento de la Dirección de Supervisión y Control de Protección de Datos será regulada reglamentariamente. El Consejo General del Poder Judicial deberá velar porque la Dirección cuente, en todo caso, con todos los medios personales y materiales necesarios para el adecuado ejercicio de sus funciones.»

Trece. El artículo 236 decies, queda redactado como sigue:

«Artículo 236 decies.

1. Los tratamientos de datos llevados a cabo por el Consejo General del Poder judicial y la Fiscalía General del Estado en el ejercicio de sus competencias quedarán sometidos a lo dispuesto en la legislación vigente en materia de protección de datos personales. Dichos tratamientos no serán considerados en ningún caso realizados con fines jurisdiccionales.

2. Las operaciones de tratamiento de datos personales del Consejo General del Poder Judicial y de los órganos integrantes del mismo serán autorizados por acuerdo del Consejo General del Poder Judicial, a propuesta de la Secretaría General, que ostentará la condición de responsable del tratamiento respecto de los mismos.

3. Las operaciones de tratamiento de datos personales de la Fiscalía General del Estado serán autorizadas según determine el Estatuto Orgánico del Ministerio Fiscal y las Instrucciones que se dicten al respecto.»

Catorce. El ordinal 19.º del apartado 1 del artículo 560 queda redactado como sigue:

«Artículo 560.

1.º (...)

19.º En materia de protección de datos personales, ejercerá las funciones definidas en el artículo 236 octies.»

Disposición final cuarta. *Modificación de la Ley Orgánica 3/2018, de 5 de diciembre, de Protección de Datos Personales y garantía de los derechos digitales*

Uno. Se incluye un nuevo apartado 5 en el artículo 2 con la siguiente redacción:

«Artículo 2.

5. El tratamiento de datos llevado a cabo con ocasión de la tramitación por el Ministerio Fiscal de los procesos de los que sea competente, así como el realizado con esos fines dentro de la gestión de la Oficina Fiscal, se regirán por lo dispuesto en

el Reglamento (UE) 2016/679 y la presente Ley Orgánica, sin perjuicio de las disposiciones de la Ley 50/1981, de 30 de diciembre, reguladora del Estatuto Orgánico del Ministerio Fiscal, la Ley Orgánica 6/1985, de 1 de julio, del Poder Judicial y de las normas procesales que le sean aplicables.»

Dos. Se modifica el apartado 3 del artículo 44, que queda redactado como sigue:

«Artículo 44.

3. La Agencia Española de Protección de Datos, el Consejo General del Poder Judicial y en su caso, la Fiscalía General del Estado, colaborarán en aras del adecuado ejercicio de las respectivas competencias que la Ley Orgánica 6/1985, de 1 de julio, del Poder Judicial, les atribuye en materia de protección de datos personales en el ámbito de la Administración de Justicia.»

Tres. Se modifica la disposición adicional decimoquinta que queda redactada como sigue:

«Disposición adicional decimoquinta. Requerimiento de información por parte de la Comisión Nacional del Mercado de Valores.

Cuando no haya podido obtener por otros medios la información necesaria para realizar sus labores de supervisión e inspección relacionadas con la detección de delitos graves, la Comisión Nacional del Mercado de Valores podrá recabar de los operadores que presten servicios de comunicaciones electrónicas disponibles al público y de los prestadores de servicios de la sociedad de la información, los datos que obren en su poder relativos a la comunicación electrónica o servicio de la sociedad de la información proporcionados por dichos prestadores que sean distintos a su contenido y resulten imprescindibles para el ejercicio de dichas labores.

La cesión de estos datos requerirá la previa obtención de autorización judicial otorgada conforme a las normas procesales.»

Disposición final quinta. *Modificación de la Ley Orgánica 1/2020, de 16 de septiembre, sobre la utilización de los datos del registro de nombres de pasajeros para la prevención, detección, investigación y enjuiciamiento de delitos de terrorismo y delitos graves*

Se modifica el artículo 10 que queda redactado como sigue:

«1. Los momentos en los que las compañías aéreas deben transmitir los datos PNR a la UIP serán los siguientes:

a) Entre las 24 y las 48 horas antes de la hora de salida programada del vuelo, e

b) inmediatamente después del cierre del vuelo, una vez que los pasajeros hayan embarcado en el avión en preparación de la salida y no sea posible embarcar o desembarcar.

Las compañías aéreas podrán limitar esta transmisión prevista en el párrafo b) a las actualizaciones de la información transmitida conforme al párrafo a).

2. El Proveedor de Servicios de Navegación Aérea en el espacio aéreo de soberanía española, comunicará a la UIP los cambios de destino, así como las escalas no programadas que le sean notificados por la tripulación de la aeronave o por otro Proveedor de Servicios de Navegación Aérea.

3. Además, cuando sea necesario acceder a los datos PNR para responder a una amenaza real y concreta relacionada con delitos de terrorismo o con delitos graves, en momentos distintos de los previstos en el apartado 1, todos los sujetos obligados, caso por caso, deberán transmitir a la UIP dichos datos con carácter inmediato al requerimiento recibido.»

Disposición final sexta. *Modificación de la Ley 19/2007, de 11 de julio, contra la violencia, el racismo, la xenofobia y la intolerancia en el deporte*

Se modifica el artículo 30 que queda redactado como sigue:

«Artículo 30. Procedimiento sancionador.

1. El ejercicio de la potestad sancionadora a la que se refiere este título, se regirá por lo dispuesto en la Ley 39/2015, de 1 de octubre, del Procedimiento Administrativo Común de las Administraciones Públicas, la Ley 40/2015, de 1 de octubre, de Régimen Jurídico del Sector Público y sus disposiciones de desarrollo, sin perjuicio de las especialidades que se regulan en este título.

2. El procedimiento caducará transcurridos seis meses desde su incoación sin que se haya notificado la resolución, debiendo, no obstante, tenerse en cuenta en el cómputo las posibles paralizaciones por causas imputables al interesado o la suspensión que debiera acordarse por la existencia de un procedimiento judicial penal, cuando concurra identidad de sujeto, hecho y fundamento, hasta la finalización de éste.»

Disposición final séptima. *Modificación de la Ley 5/2014, de 4 de abril, de Seguridad Privada*

Se modifica el artículo 69 que queda redactado como sigue:

«Artículo 69. Régimen Jurídico.

1. El ejercicio de la potestad sancionadora en materia de seguridad privada se regirá por lo dispuesto en la Ley 39/2015, de 1 de octubre, del Procedimiento Administrativo Común de las Administraciones Públicas, la Ley 40/2015, de 1 de octubre, de Régimen Jurídico del Sector Público y sus disposiciones de desarrollo, sin perjuicio de las especialidades que se regulan en este título.

2. El procedimiento caducará transcurridos seis meses desde su incoación sin que se haya notificado la resolución, debiendo, no obstante, tenerse en cuenta en el cómputo las posibles paralizaciones por causas imputables al interesado o la suspensión que debiera acordarse por la existencia de un procedimiento judicial penal, cuando concurra identidad de sujeto, hecho y fundamento, hasta la finalización de éste.

3. Iniciado el procedimiento sancionador, el órgano que haya ordenado su incoación podrá adoptar las medidas cautelares necesarias para garantizar su adecuada instrucción, así como para evitar la continuación de la infracción o asegurar el pago de la sanción, en el caso de que ésta fuese pecuniaria, y el cumplimiento de la misma en los demás supuestos.

4. Dichas medidas, que deberán ser congruentes con la naturaleza de la presunta infracción y proporcionadas a la gravedad de la misma, podrán consistir en:

a) La ocupación o precinto de vehículos, armas, material o equipo prohibido, no homologado o que resulte peligroso o perjudicial, así como de los instrumentos y efectos de la infracción.

b) La retirada preventiva de las autorizaciones, habilitaciones, permisos o licencias, o la suspensión, en su caso, de la eficacia de las declaraciones responsables.

c) La suspensión de la habilitación del personal de seguridad privada y, en su caso, de la tramitación del procedimiento para el otorgamiento de aquélla, mientras dure la instrucción de expedientes por infracciones graves o muy graves en materia de seguridad privada.

También podrán ser suspendidas las indicadas habilitación y tramitación, hasta tanto finalice el proceso por delitos contra dicho personal.

5. Las medidas cautelares previstas en los párrafos b) y c) del apartado anterior no podrán tener una duración superior a un año.»

Disposición final octava. *Modificación del texto refundido de la Ley sobre Tráfico, Circulación de Vehículos a Motor y Seguridad Vial, aprobado por el Real Decreto Legislativo 6/2015, de 30 de octubre*

Se modifica el artículo 68 que queda redactado como sigue:

«Artículo 68. Matrículas.

1. Para poner en circulación vehículos a motor, así como remolques de masa máxima autorizada superior a la que reglamentariamente se determine, es preciso matricularlos y que lleven las placas de matrícula con los caracteres que se les asigne del modo que se establezca. Esta obligación será exigida a los ciclomotores en los términos que reglamentariamente se determine.

2. Deben ser objeto de matriculación definitiva en España los vehículos a los que se refiere el apartado anterior, cuando se destinen a ser utilizados en el territorio español por personas o entidades que sean residentes en España o que sean titulares de establecimientos situados en España. Reglamentariamente se establecerán los plazos, requisitos y condiciones para el cumplimiento de esta obligación y las posibles exenciones a la misma.

3. La matriculación ordinaria será única para cada vehículo, salvo en los supuestos que se determinen reglamentariamente. Cuando concurran circunstancias que puedan afectar a la Seguridad Nacional, el Secretario de Estado de Seguridad podrá autorizar una nueva matrícula distinta de la inicialmente asignada. Este tipo de matrículas no serán públicas en el Registro General de Vehículos e, incluso en circunstancias excepcionales, podrá utilizarse una titularidad supuesta en el marco de la actuación de las Fuerzas y Cuerpos de Seguridad y del Centro Nacional de Inteligencia en el tráfico jurídico.

4. En casos justificados, la autoridad competente para expedir el permiso de circulación podrá conceder permisos de circulación temporales y provisionales en los términos que se determine reglamentariamente.»

Disposición final novena. *Naturaleza de la ley*

Esta ley tiene el carácter de Ley Orgánica. No obstante, tienen carácter ordinario:

a) El capítulo VI.
b) El capítulo VII.
c) El capítulo VIII.
d) Las disposiciones finales segunda, sexta, séptima y octava.

Disposición final décima. *Título competencial*

Esta Ley Orgánica se dicta al amparo de las reglas 1.ª, 6.ª, 18.ª y 29.ª del artículo 149.1 de la Constitución, que atribuyen al Estado las competencias exclusivas, respectivamente, para la regulación de las condiciones básicas que garanticen la igualdad de todos los españoles en el ejercicio de los derechos y en el cumplimiento de los deberes constitucionales; respecto a las bases del régimen jurídico de las Administraciones Públicas, el procedimiento administrativo común y en relación al sistema de responsabilidad de todas las Administraciones públicas; sobre legislación penal, penitenciaria, procesal; y en materia de seguridad pública.

Disposición final undécima. *Incorporación del Derecho de la Unión Europea*

Mediante esta Ley Orgánica se incorpora al ordenamiento jurídico español la Directiva (UE) 2016/680 del Parlamento Europeo y del Consejo, de 27 de abril de 2016, relativa a la protección de las personas físicas en lo que respecta al tratamiento de datos personales por parte de las autoridades competentes para fines de prevención, detección, investigación y enjuiciamiento de infracciones penales o de ejecución de sanciones penales, y a la libre circulación de dichos datos y por la que se deroga la Decisión Marco 2008/977/JAI del Consejo.

Disposición final duodécima. *Entrada en vigor*

Esta Ley Orgánica entrará en vigor a los veinte días de su publicación en el «Boletín Oficial del Estado».

No obstante, las previsiones contenidas en el capítulo IV producirán efectos a los seis meses de la entrada en vigor de la Ley Orgánica.

Por tanto,

Mando a todos los españoles, particulares y autoridades, que guarden y hagan guardar esta ley orgánica.

Madrid, 26 de mayo de 2021.

FELIPE R.

El Presidente del Gobierno,

PEDRO SÁNCHEZ PÉREZ-CASTEJÓN

ANEXO I. BIBLIOGRAFÍA

I.1. General sobre protección de datos personales

ÁLVAREZ HERNANDO, Javier, *Practicum protección de datos 2021*, Cizur Menor, Thomson Reuters, 2020.

APARICIO SALOM, Javier y VIDAL LASO, María: *Estudio sobre la protección de datos*, Cizur Menor, Aranzadi, 2019.

ARENAS RAMIRO, Mónica (Directora) y ORTEGA GIMÉNEZ, Alfonso (Director): *Protección de datos. Comentarios a la Ley Orgánica de Protección de Datos y Garantía de Derechos Digitales (en relación con el RGPD)*, Madrid, editorial Sepin, 2019.

BERROCAL LANZAROT, Ana Isabel: *Estudio jurídico-crítico sobre la Ley Orgánica 3/2018, de 5 de diciembre, de Protección de Datos Personales y garantía de los Derechos Digitales. Análisis conjunto del Reglamento (UE) 2016/679 del Parlamento Europeo y del Consejo del 27 de abril de 2016 y de la Ley Orgánica 3/2018 de 5 de diciembre*, Madrid, editorial Reus, 2019

DELGADO CARRAVILLA, Enrique (autor) y PUYOL MONTERO, Javier (autor), con la colaboración de LÓPEZ-JURADO ASTRAY, Macarena: *La implantación del nuevo Reglamento General de Protección de Datos de la Unión Europea*, Valencia, Tirant lo Blanch, 2018.

HERNÁNDEZ LÓPEZ, José Miguel: *Protección de datos personales. Reglamento general de protección de datos. Ley Orgánica 3/2018, de 5 de diciembre, de Protección de Datos Personales y garantía de los derechos digitales*, Valencia, Tirant Lo Blanch, 2019.

LÓPEZ CALVO, José: *Comentarios al Reglamento europeo de protección de datos*, Madrid, editorial SEPIN, 2017.

LÓPEZ CALVO, José (Coordinador): *La adaptación al nuevo marco de protección de datos tras el RGPD y la LOPDGDD*, Madrid, Wolters Kluwer, 2019.

PIÑAR MAÑAS, José Luis (Director): *Reglamento general de protección de datos. Hacia un nuevo modelo europeo de privacidad*, Madrid, Reus, 2016.

PIÑAR MAÑAS, José Luis (Director) y Recio Gayo, Miguel (Coordinador): *Protección de datos*, MEMENTO PRÁCTICO, Madrid, ediciones Francis Lefebvre, 2019.

PIÑAR MAÑAS, José Luis y RECIO GAYO, Miguel: *El derecho a la protección de datos en la jurisprudencia del Tribunal de Justicia de la Unión Europea*, Madrid, La Ley, 2018.

PUYOL MONTERO, Javier: *La figura del delegado de protección de datos (DPD). Adaptado al reglamento (UE) 2016/679 (RGPD) a la LO 3/2018, de 5 de diciembre (LOPDGDD) y al esquema de certificación de la Agencia Española de Protección de Datos*, editorial Aferré Editores, Barcelona, 2020.

REBOLLO DELGADO, Lucrecio: *Protección de datos en Europa. Origen, evolución y regulación actual*, Madrid, Dykinson, 2018.

REBOLLO DELGADO, Lucrecio y SERRANO PÉREZ, M.ª Mercedes: *Manual de protección de datos*, Madrid, Dykinson, 2019.

RALLO LOMBARTE, Artemi (Director): *Tratado de Protección de Datos. Actualizado con la Ley Orgánica 3/2018, de 5 de diciembre, de protección de datos personales y garantía de los derechos digitales*, Valencia, Tirant lo Blanch, 2019.

TOMÁS MALLÉN, Beatriz (editora) y GARCÍA MAHAMUT, Rosario (editora): *El Reglamento General de Protección de Datos: un enfoque nacional y comparado. Especial referencia a la LO 3/2018 de Protección de Datos y garantía de los derechos digitales*, Valencia, Tirant lo Blanch, 2019.

TRONCOSO REIGADA, Antonio (Director): *Comentario al Reglamento General de Protección de Datos y a la Ley Orgánica de Protección de Datos personales y Garantía de los Derechos Digitales*, Cizur Menor, editorial Civitas, 2021.

I.2 Específica sobre protección de datos personales tratados para fines de prevención, detección, investigación y enjuiciamiento de infracciones penales y de ejecución de sanciones penales

AYLLÓN SANTIAGO, Héctor S. y FERNÁNDEZ GONZÁLEZ, Carlos Manuel: *Tratamiento de datos de carácter personal en el ámbito policial*, Madrid, Editorial Reus, 2021.

COLOMER HERNÁNDEZ, Ignacio (Director); OUBIÑA BARBOLLA Sabela y CATA-
    LINA BENAVENTE Mª Ángeles (Coordinadoras): *Cesión de datos personales y
    evidencias entre procesos penales y procedimientos administrativos sancio-
    nadores o tributarios*, Aranzadi, 2017.

COLOMER HERNÁNDEZ, Ignacio: «A Propósito de la compleja trasposición de la
    Directiva 2016/680 relativa al tratamiento de datos personales para fines
    penales», *Diario La Ley*, núm. 9179, 17 de abril de 2018.

DELGADO MARTÍN, Joaquín: «Protección de datos personales en el proceso
    penal», *Revista de Jurisprudencia*, 15 de marzo de 2019.
    –   «La protección de datos personales en el proceso penal: Directiva
        2016/680», *Revista de Jurisprudencia*, 15 de febrero de 2019.
    –   «Reflexiones sobre la protección de datos personales en la Administra-
        ción de Justicia», *Diario La Ley*, núm. 9363, 2019.
    –   «Protección de datos personales y prueba en el proceso», *Diario La
        Ley*, núm. 9383, 2019.

DOMINGUEZ PECO, Elena (coordinadora): *La protección de datos en la coopera-
    ción policial y judicial*, Editorial Aranzadi 2008.

MARCOS AYJÓN, Miguel: *La protección de datos de carácter personal en la justi-
    cia penal*, Barcelona, Bosch, 2020.

PILLADO GONZÁLEZ, Esther: «Difícil equilibrio entre seguridad y salvaguarda
    del derecho a la protección de datos personales en la prevención, investi-
    gación y represión de delitos en la Unión Europea», en *Integración europea
    y justicia penal* (coordinado por María Isabel GONZÁLEZ CANO), Tirant lo
    Blanch, 2018, págs. 515-559.

ANEXO II. WEBGRAFÍA

Agencia Española de Protección de Datos (AEPD)
http://www.agpd.es/

Agencia Vasca de Protección de Datos
http://www.avpd.euskadi.eus/

Autoridad Catalana de Protección de Datos
http://apdcat.gencat.cat/ca/inici/

Boletín Oficial del Estado
https://www.boe.es/

Comité Europeo de Protección de Datos
https://edpb.europa.eu/edpb_es

EUR-Lex
http://eur-lex.europa.eu/

Instituto Nacional de Ciberseguridad (INCIBE)
https://www.incibe.es/

Poder judicial (autoridad de control)
https://www.poderjudicial.es/cgpj/es/Temas/Autoridad-de-control-de-proteccion-de-datos/

Supervisor Europeo de Protección de Datos (SEPD)
https://edps.europa.eu/

ANEXO III. ÍNDICE ANALÍTICO[1]

A

---

[1]   Las citas remiten a los parágrafos asignados a la Directiva (UE) 2016/680 del Parlamento Europeo y del Consejo de 27 de abril de 2016 (§ 1) y a la Ley Orgánica 7/2021, de 26 de mayo, de protección de datos personales tratados para fines de prevención, detección, investigación y enjuiciamiento de infracciones penales y de ejecución de sanciones penales (§ 2).

C

M

R

S

T